MW00652540

Créalo. Sí se puede.
Alex Dey

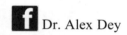 Dr. Alex Dey

www.alexdey.com.mx
www.gironbooks.com

Para información de ventas escriba a sales@gironbooks.com o llame al teléfono en los Estados Unidos de América (773) 847-3000

ISBN No. 9780991544226

Alex Dey

Créalo Sí se puede

Índice:

DEDICATORIA

Dedico este libro a la memoria de mi madre, Estephanía Jiménez quien me heredó el don de hablar en público.

ACERCA DEL AUTOR

ALEX DEY, es pionero de la motivación en español. Actualmente comparte sus formulas de éxito con mas de 40,000 personas mensualmente. Sus audios, videos, libros, cursos y seminarios, son utilizados por cientos de empresas (General Motors de México, Industrias Canadá, Seguros Monterrey, Bancomer, Mobil Oil de México, etc.), que capacitan y motivan a su gente a través de sus conceptos.

Entre sus obras mas vendidas se encuentran: Como dominar el arte de la venta moderna, El poder ilimitado de la magia mental, Enciclopedia de ventas, El despertador, etc., obras que han beneficiado a miles y miles de hispanos y que lo hacen ser reconocido como "EL MOTIVADOR No 1 DE HABLA HISPANA".

El autor se nutre de experiencias propias y ajenas para entregarnos una mezcla de psicología, autoanálisis, relaciones humanas y superación personal, todo combinado en una sola palabra: motivación.

Ayudar a las personas a desarrollar al máximo su potencial fisco, mental y espiritual, teniendo como consecuencia una mejor calidad de vida, es el objetivo primordial de estos programas. Y aunque no utiliza palabras rebuscadas en su lenguaje, esto no quiere decir que el mensaje no sea suficientemente poderoso y capaz de producir grandes cambios en quienes lo reciben.

INTRODUCCIÓN

¿Qué es la motivación?

La motivación es un concepto de cambio y superación personal que tiene su origen en el propio ser humano. Desde el punto de vista científico la motivación es producto de la programación neuronal que toda persona puede hacer individualmente si aprende a enviar ordenes directas a su cerebro para condicionar la formación de nuevos hábitos, positivos o negativos, que impulsen o frenen nuestro progreso. Programaciones inconscientes que forman nuestro carácter y que nos hacen triunfadores o perdedores.

Si hacemos un poco de historia, encontraremos que hasta hace solo una década en algunos países de habla hispana, como México, la motivación era un concepto que no tenía fuerza y se le consideraba un fraude y cosa de charlatanes. Los motivadores de aquellos tiempos debían convencer con el ejemplo.

Nadie entendía que si no existe *motivación suficiente* en una persona, es muy difícil que se entregue en *cuerpo y alma y con toda pasión* a lo que hace.

Afortunadamente ese periodo de prueba ya paso, y hoy en día sabemos que con motivación una persona disfruta mas su trabajo y hace todos sus quehaceres con gusto, logrando de esta manera una *superación constante*, que le permite tener una vida mucho mas productiva y placentera.

El concepto es muy simple: motivación significa tener un aliciente por el cual levantarnos en la mañana

Ahora, si comprendemos que el ser humano fue diseñado para *triunfar*, pero programado para *fracasar*, entenderemos que solamente con motivación, reflexión y experimentación, podrá producir un cambio permanente en su vida.

**Esto es, si se motiva, inicia,
tiene fuerza de voluntad,
continua, aprende a automotivarse
y cambia permanentemente, triunfara.**

Porque aunque los estudios científicos demuestran que todas las personas nacen con ciertas habilidades y talentos naturales, esta comprobado que la gran mayoría puede adquirirlos a través de la motivación, es la fuerza de voluntad de cada individuo la que permite que una persona común se convierta en un ser extraordinario y sin limites.

¡Créalo, sí se puede!

PRÓLOGO

Conocí a Alex Dey hace cincos años, cuando andaba en busca de un cambio importante en mi vida, cuando anhelaba vivir mejor, hacer cosas extraordinarias y lograr cada uno de mis sueños. En ese tiempo no tenia la menor idea de por donde empezar, no sabia que hacer, me sentía muy confundida y desesperada. El 13 de diciembre de 1990, todo cambio.

La empresa televisiva donde yo trabajaba, me envío a una platica que Alex Dey daba en la ciudad, 10 minutos después de escucharlo, algo empezó a suceder. Recuerdo muy bien que Alex Dey dijo: "Tenemos dos opciones en la vida, sufrirnos o disfrutarnos, pero tenemos que vivir. ¿Qué escogen...?", pregunto. Desde entonces elegí disfrutar y mi vida cambio. Mi situación económica mejoro, mi relación familiar y de pareja se volvió increíble, mi productividad en el trabajo se triplico, mi fuerza de voluntad aumento y mi creatividad empezó a desarrollarse al máximo.

Tuve la suerte y el privilegio de colaborar con Alex Dey, durante cuatro años, compartiendo sus conceptos con miles y miles de personas que me ayudaron a reafirmar mi gran compromiso: ser inmensamente feliz. Ahora vivo en la ciudad de México, tengo mi propia empresa y cada día que vivo, es un éxito en la historia. Es por eso que a través de estas líneas, quiero agradecer y felicitar a Alex Dey por la edición de su libro ¡Créalo, si se puede!, un libro que promete ayudar a todas las personas que estén dispuestas a creer. Un libro que puede convertirlo, si usted quiere, ¡en una persona extraordinaria y sin límites! ¡Créalo, si se puede!

Dicen que cuando el alumno esta listo, el maestro aparece, estoy segura que usted esta listo, si no fuera así, no hubiera comprado este libro y no lo estaría leyendo. En lo que a mi respecta, después de cinco años de triunfos y aprendizaje constante, solo puede decir...

Gracias... Álex Dey
Nohemí Gutiérrez Sáenz
Locutora

EL PODER DE LA MENTE

¡HOLA!
¿Qué tal mi querido amigo?
Soy Alex Dey

A través de este libro no pretendo decirte como debes vivir tu vida, eso solamente a ti te concierne, pero si te has sentido confundido, si te sientes deprimido de vez en cuando, inclusive muy a menudo, si te has llegado a preguntar, ¿esto es la vida?, entonces este libro es para ti.

He escrito este libro con lo que llamo "palabras de a centavo", porque debes de saber que no soy doctor, ni psicólogo, ni psiquiatra. De hecho solo estudie hasta sexto año de primaria pero...

¿Sabes por qué deberías leer esta información?

Porque es una síntesis de cientos de libros: he leído aproximadamente 700 sobre superación personal; he tomado cientos de seminarios; me he interrelacionado desde los 17 años de edad con personas que se han dedicado a conocer el potencial humano, personas que se han preguntado por 50 años,

¿Por qué cuando el éxito está disponible para todos, pocas personas lo aprovechan?

Te puedo recomendar una gran cantidad de libros motivacionales muy bueno, pero mi información fue dedicada y encaminada totalmente hacia el avance del potencial del latino, en particular, porque mucha de la información sobre el tema se ha hecho para los estadounidenses y para los ingleses, luego, estos libros se han traducido al español.

Muchos de ellos se empezaron a escribir en los años treinta, y este material lo escribimos cercano al cambio de siglo, el año 2000, por lo tanto esta actualizado en relación con los diferentes cambios que estamos experimentando los hispanos, y de acuerdo con los tiempos de competividad que enfrentan nuestros países. Es por eso que realmente deberías de abrir tu mente y leer la siguiente información.

Después de todo recuerda: la mente es como un paracaídas que debe estar perfectamente bien abierto para que puede funcionar.

Sí, habrá muchas personas mayores que yo las cuales estarán leyendo estas líneas y otras escuchando mis conferencias en vivo, y es posible que asuman una actitud (aunque no me lo digan) de: "que tanto me puedes enseñar tu a mi".

Hay quienes llegan a mis cursos hasta con una actitud de "a ver, diviérteme", "a ver, convénceme". Les digo: realmente tenemos una opción: sufrimos o disfrutamos durante el tiempo que vamos a estar aquí, como a ti te digo que lo haremos durante el trayecto que emprenderemos juntos mientras lees este libro.

Verdaderamente nosotros tenemos la opción:

Sufrimos o disfrutamos

Pero vamos a hacerlo, puesto que ya tienes en tus manos el libro.

Te voy a recomendar que hagamos lo siguiente, vamos a disfrutarlo enormemente, porque, no se tú, pero yo tengo una definición muy especial sobre la vida:

Si no es divertido
no lo hagas

Es por eso que hace años deje de trabajar – aunque a veces doy cinco seminarios por semana, aunque solo voy a mi casa a dormir tres o cuatro noches por mes -; ahora viajo por el mundo y comparto estos conceptos con miles de personas.

Tengo el privilegio de hablar con un promedio de 40,000 personas mensualmente, en diferentes partes de planeta. Por eso digo que deje de trabajar, porque mi concepto de trabajo es hacer una cosa mientras prefieres hacer otra y, ¿sabes que? A mi francamente no me gusta hacer otra cosa.

Esto es lo que me fascina hacer, y como digo siempre: *cuando encuentres lo que te gusta hacer te entregas en cuerpo y alma y con toda pasión a lo que haces...* Entonces tu vocación se convierte en tu vacación y te mantienes permanentemente de vacaciones. ¡Ah! Y el dinero no lo puedes detener: viene so-li-to.

Mi querido amigo, realmente quiero que sepas que hoy es un día muy importante. Si. Es un día mucho muy importante.

¿Sabes qué día es hoy?

¿Tienes idea de qué día es hoy?

Hoy es un día muy importante porque es
el primer día de tu nueva vida

Sí, este es el primer día de tu nueva vida. Y cuando apenas hago este comentario al inicio de mis conferencias, algunas personas lo encuentran fuera de contexto, como diciendo "¡eh! ¿Y cómo puede ser?" Si, este es el primer día de tu nueva vida porque *este es el primer día del resto de tus días.*

Lo que hagas con este día, con mañana, con pasado mañana, etcétera, tendrá mucho que ver con tu destino.

Sin embargo, primero debes de comprender que nosotros somos gente pequeña que camina por la gran ciudad. No podemos controlar las economías solos, no podemos manejar tantas cosas que suceden a nuestro alrededor, como crímenes, robos, etcétera. Lo único que podemos controlar son nuestros pensamientos, y estos se convierten en acciones. Realmente esas acciones son las que nos forman hábitos y determinan nuestro destino.

Si, podemos tener control de nuestro destino, aprendiendo a controlar nuestros pensamientos, los cuales se convierten en acciones, las acciones forman hábitos y los hábitos nuestro destino.

Por eso todos los resultados que has tenido en la vida han sido producto de tu forma de pensar. Si. De hecho ahora mismo: la ropa que traes puesta, el automóvil que manejas, la casa donde vives, las circunstancias por las que estas atravesando... Todo esto es consecuencia de tu forma de pensar.

Si quieres cambiar tu casa, tu automóvil, tu forma de vestir, las situaciones por las que estas atravesando, debes empezar por cambiar primeramente tu forma de pensar.

Lo aprendí desde hace muchos años (y aquí viene una vez más, te lo voy a decir),

**Eres lo que eres
y estás en donde estás,
por lo que has
puesto en tu mente**

Puedes cambiar lo que eres, puedes cambiar donde estas, cambiando lo que pongas en tu mente. En esta vida tenemos únicamente lo que merecemos: si más merecieras más tuvieras ahora, y si no lo tienes es porque no has aprendido a producir más.

No importa si tienes 15 o 65 años, si eres hombre o mujer, si eres moreno, rubio... Eso no interesa. Lo decisivo es, ¿que estas dispuesto a hacer para explotar tus recursos? Lo único que tienes en este momento para triunfar son dos importantes y valiosos elementos sobre los cuales el ser humano no tiene control.

Número uno:

El TIEMPO.

Sí, tienes el tiempo, estoy hablando de tiempo de calidad, no tiempo de cantidad.

Hay muchas personas que no empiezan a hacer cambios en su vida hasta una edad avanzada. Como uno de mis grandes maestros, Zig Ziglar, que empezó a hacer grandes e importantes cambios en su vida hasta los 44 años. Conozco seres que a los 60 años han empezado a cambiar, a progresar y hacer algo trascendente en su vida.

Por eso nada tiene que ver si tienes 15 ó 65 años, si eres predicador, panadero, profesor, no importa. Lo decisivo es, ¿Qué estas dispuesto a hacer desde este día en adelante? Recuerda que después de todo, una jornada de 1,000 kilómetros principia con un solo paso.

15

Este día vamos a dar ese paso

Por eso es necesario reflexionar un poco, pues con estos conceptos y por medio de la experimentación puedes hacer grandes e importantes cambios en tu vida.

En una ocasión en un seminario con un grupo numeroso, una persona sentada en la parte de atrás se levantó y me dijo: "Oye, ¿Qué te hace pensar que puedes venir aquí a hablar del éxito tan abiertamente sin conocer nuestras condiciones personales? Yo estoy mal en el aspecto económico, me siento mal física y emocionalmente... Me encuentro en el fondo de la humanidad". (Y tu amigo lector creías tener problemas, ¿eh?) Le contesté a este señor: "Si usted se encuentra en el fondo de la humanidad, mi querido amigo, entonces permítame felicitarlo: es un buen lugar donde estar. Sí, porque una vez que estamos ahí, del mismo modo que cuando llegamos al fondo de la piscina, nada más hay un sito hacia donde podemos ir. ¿Si o no?, y es... hacia la superficie".

"Y entonces – continúe – usted tiene todo por ganar y nada por perder. Y lo más importante en este día es que aprenda a explorar todo lo que tiene a su alrededor. Si usted cree que está atravesando por problemas o circunstancias diferentes a las de otros seres humanos, permítame decirle que está equivocado, pues hay personas que ya se han encontrado en donde usted está; somos miles de millones de seres que vivimos en este mundo. ¿Qué le hace pensar que usted tiene situaciones únicas, distintas a las demás?

"Es muy probable que otras personas se hayan encontrado en la misma situación que usted, con los mismos retos, los mismos cambios, los mismos riesgos, y lo mas probable es que los hayan superado; y a lo mejor eran personas menos inteligentes que usted".

Por eso digo: no importa qué tipo de situaciones estemos viviendo, sabemos que podemos salir de ellas, no importa qué tipos de complejos hayamos venido acumulando en nuestras mentes, los podemos superar. Si quieres cambiar, si quieres lograr éxito, si quieres evolucionar, lo estás haciendo en este preciso instante. Hablemos ahora del éxito. Es un concepto amplio, complejo, porque para una persona conocer a alguien con quien compartir su vida podría ser el éxito; para una pareja que no puede concebir, tener un hijo sería el éxito; para una familia numerosa de escasos recursos tener una casa y dinero significaría el éxito. Como ves, el éxito es diferente para distintas personas.

Para algunos lograr tener un físico delgado, vibrante de energía, estéticamente perfecto, podría ser el éxito, para muchos estudiantes graduarse constituiría el mayor éxito.

Como ves, mí querido amigo, cuando menciono éxito estoy hablando de cualquier cosa que pudieras ser, hacer o tener. Y me refiero al éxito abiertamente porque sé que existe, y lo sé porque lo estoy viviendo.

En relación con esto, quiero decirte que la humanidad se ha dividido en dos grupos:

5% de las personas son líderes (tienen ideas, las emprenden y llevan a cabo exitosamente...

Y el 95% restante son lo que llamo seguidores.

Gran cantidad de estas personas sólo observa al grupo de los triunfadores para hacer lo que aquéllos hacen. Por eso, en algunos países se dice que no existe la iniciativa privada, sino la "imitativa' privada.

Sí, si una persona abre un pequeño restaurante, ahí va la mayoría a abrir restaurantes de la misma clase; si alguien inaugura un club de videos, si funda una empresa de esto o lo otro... ahí va la "imitativa". Pregunto entonces, ¿dónde está la creatividad?, ¿Cuál es la diferencia entre una persona convencional y un genio? Simplemente que el genio crea más que una persona convencional; aunque ambos tienen la habilidad de crear, no utilizan en la misma forma el potencial de su mente para lograrlo.

Hablando de genios, recuerdo que una vez le preguntaron a Miguel Ángel, el gran escultor, "¿cómo puedes hacer de una piedra burda de mármol una escultura tan bella?"

"Muy sencillo – contestó – me le quedo viendo, decido qué es lo que quiero, y le quito lo que le sobra…"

PASITOS
DE BEBE

Este será nuestro primer paso: diseñar el estilo de vida que queremos y quitarle lo que le sobra. Te voy a dar una secuencia muy sencilla de seguir, le llamo "pasitos de bebé".

-       **El primer pasito que vamos a dar es creer.**

Creer que todo lo que soñamos, todo lo que nos proponemos, puede llegar a ser realidad. Este año empecé a utilizar una nueva frase:

**debemos creer,
porque si no creemos
nunca intentaremos y
nunca iniciaremos.**

Todo empieza visualizando lo que queremos en la vida, y eso precisamente es lo que quiero que hagas ahora.

Visualiza el estilo de vida que quieres, la figura, las circunstancias a tu alrededor, y luego les quitamos lo que sobra. Pero recuerda:

**debemos creer,
porque después de todo,
lo que la mente humana
puede creer y concebir,
lo puede alcanzar.**

Aquí viene la pregunta más intrigante de nuestros tiempos: ¿por qué si el éxito está disponible para todos, tan pocas personas lo aprovechan? La respuesta la encontrarás en esta lectura.

Hablemos aquí nuevamente de los seguidores y de la razón por la cual hay tantos. La razón es que nos pasamos la vida imitando a los demás hasta que se nos hace hábito; luego inconscientemente los seguimos, y terminamos siendo como ellos.

A ese 95% de personas de vez en cuando les llamamos los soñadores.

A este tipo pertenecen quienes abrazan a su esposa y le dicen: "Mi amor, algún día vas a tener un automóvil del año, pero por lo pronto hazle la parada al autobús, que ahí viene".

¿Conocen a alguno? ¿Cuántas de ustedes viven con uno?

Los soñadores son aquellos que se acercan a su esposa y le comentan: "Querida, algún día vas a tener una casa que no va a ser común; no, va a ser un castillo digno de una reina, pero por lo pronto aguántate aquí con mi mamá. Apenas llevamos seis años viviendo aquí. No me presiones tanto; mira, el año que entra..."

Y permíteme decirte, mi querido amigo, que para los soñadores nunca llega el año que entra. Fíjate lo que sucede: llega diciembre, piensan: "Qué rápido pasa el tiempo, no logré mis metas, no hice lo que dije". Entonces sienten el dolor del remordimiento, pero de inmediato entra otro mecanismo mental para no sufrir; el consuelo, y dicen: "El año que entra me voy a poner a dieta, voy a comprar ese automóvil, voy a hacer esto, voy a emprender aquello, pero ahorita mejor no".

Llega enero y febrero y piensan, "bueno, ahorita arranco, ahorita, tranquilo, sí, dije que iba a empezar pero no dije cuándo… Ahorita, momento, paso a paso". Pasan abril y mayo y tampoco lo hacen. He notado que muchas personas empiezan a tomar acción el último trimestre del año.

Los soñadores siempre están esperando que algo suceda para luego tomar acción. Sí, están esperando cambiarse a una oficina más grande, que les instalen el teléfono, comprar un automóvil, que los niños terminen la escuela, deje de llover o haya cambio de presidente en el país.

La gran diferencia entre los soñadores
y los líderes o triunfadores es
que estos últimos toman acción,
en cambio los soñadores posponen
y vuelven a posponer,
así hasta la muerte.

Porque siguen aplazando y no toman acción, muchos individuos terminan viejos, solos y pobres.

- **Ahora vamos del segundo paso: tomar acción.**

¿Qué tipo de acción podrías tomar en este instante para empezar a transformar tu vida? Para lograr esa figura, para comprar esa casa, para realizar ese viaje, en fin… ¿Podrías abrir una cuenta en el banco? ¿Podrías empezar una dieta ahorita mismo?

¿Qué tipo de acción tomarías en este preciso momento para lograr tus propósitos?

Te voy a dar las **cuatro "D"** que necesitas para continuar con la transformación. Son, primeramente, **DESEO**. Necesitas desear realmente hacerlo; desearlo hasta los huesos. Después viene la **DETERMINACION**. ¿Lo quieres hacer o no lo quieres hacer? Si logras la segunda "D", la determinación, automáticamente llegas a la tercera "D", que es la **DECISION**: ya tomé la decisión, ya lo hice, ya lo estoy haciendo. Para continuar necesitas la cuarta "D", que es la **DISCIPLINA**.

Necesitas la disciplina para ver hecho realidad tu propósito.

Si reflexionamos notaremos que lo único que la humanidad busca es un estado mental. Por eso la gente fuma y come en exceso, ve televisión demasiado tiempo, prueba diferentes religiones, escucha varios tipos de música, hace las más variadas cosas... para lograr un estado mental. Llámalo tranquilidad, armonía, seguridad, lo que tú quieras.

Muchas personas dedican toda su vida a ganar dinero; pero yo les digo, "no es dinero lo que quieres, sino el estado mental llamado seguridad propia, tranquilidad económica o apoyo, como prefieras". Pero todo lo que buscamos en la vida es un estado mental.

Debemos empezar por comprender que todos tenemos una mente; ¿hasta aquí vamos bien? ¡Fabuloso!

La mente produce los estados mentales; eso quiere decir que si aprendemos a manejar nuestra mente podremos lograr el estado mental que queramos.

Ahora mismo, si nos lo proponemos, podemos sentirnos totalmente felices si aprendemos a producir el estado mental llamado felicidad.

Podemos causar felicidad porque es un estado mental, o podemos causar depresión, que también es un estado mental. La felicidad es un estado mental que luego se convierte en un estado físico. ¿Verdad que sí?

Una persona feliz está llena de entusiasmo, de energía, de positivismo, etcétera, y lo refleja.

Una persona deprimida empieza pensando en forma negativa, logra la depresión, el estado mental, y luego es estado físico: baja los hombros, deja caer la mirada, camina cabizbajo, se agota totalmente la energía. Entonces, como nosotros tenemos libre albedrío,

**podemos escoger:
entusiasmo o depresión.
¡Tenemos la opción!,
podemos lograr
cualquiera de las dos.**

Desgraciadamente en ocasiones escogemos depresión, depresión, depresión, hasta que se nos forma el hábito, y después, por hábito, causamos ese estado mental, que se presenta de forma automática.

Por eso el cambio tiene que empezar ahora mismo. Hablemos del entusiasmo, porque viviendo en una sociedad tan crítica como la actual, algunos creen que el entusiasmo solamente debe ser practicado por algún grupo de niñas tratando de motivar a un equipo de futbol, o solamente en una convención de vendedores, etcétera. No, el entusiasmo es algo muy importante y realmente necesario en nuestra vida.

Las personas serias, las que han bloqueado totalmente el entusiasmo de su existencia, se han vuelto solemnes, preocuponas y estresadas. Cuánto critican a los entusiastas cuando, por ejemplo, llegan a la oficina y dicen: ¡Hola, qué tal! Buenos días. ¿Cómo están?" Piensan: "Qué falso, que vacío y sin fundamento se ve este tipo; se ve inocente, poco sofisticado, fuera de realidad y muy *seguidor*".

"Yo soy serio, feo, fuerte y formal: dicen, y si no se sienten estresados consideran que no están trabajando.

No, mi querido amigo, la vida fue hacha para disfrutarse, recuerda eso. A continuación te presento la fórmula para destacar en la vida.

El 15% lo constituye la aptitud, esto es, qué tan apto seas en lo que haces. Muchos se pasan la vida yendo a la escuela para ser aptos, y yo les digo, no es la aptitud, aunque es muy importante.

Lo verdaderamente esencial, porque constituye el 85% restante, es la actitud.

Es la actitud de triunfadores la que destaca, la actitud de emprendedores, la de

"ahorita puedo",
"ahorita puedo",
"ahorita puedo"

La fórmula es 15% de *aptitud* y 85% de *actitud,* y es la actitud que tengamos hacia la vida la que determina la *altitud* de nuestra existencia.

Por eso hace tiempo que decidí tener *un buen día todo el día todos los días.*

Cuando abrimos los ojos en la mañana pensamos: ¿queremos un buen día o un mal día? Y desde ese instante nos programamos para tener un buen día o un mal día.

Fíjate bien, desde que abrimos los ojos por la mañana, esta es la forma de levantarnos: "¡Qué precioso día! Viviré este día como si fuera el último de mi vida". (Esta es una de mis frases preferidas.) Desde hace tiempo comprobé que nosotros mismos programamos si queremos tener un día bueno o malo, y por increíble que parezca, lo causamos.

Yo no creo en las casualidades, creo en las causalidades, porque ciertamente nosotros lo causamos todo.

¿Cómo se levanta la gran mayoría de las personas? Si escogen un mal día, empiezan con la primera mentira de la mañana (un grade y prolongado bostezo): ¡Ah! Ya nada más otros cinco minutos..."

La segunda mentira del día (otro gran bostezo): "¡Esta noche me acuesto más temprano!"

Acto seguido, abren la ventana para asomarse hacia fuera, y si el día está bello, con el sol a todo su resplandor, ¿qué dicen? "¡Uff! Va a hacer un calorón..."

Pero si el cielo está nublado, en lugar de pensar: "Qué fresco está el día", muchas personas dicen: "Va a llover; me deprimen los días nublados".

Es decir, sólo buscan la manera de tener un mal día. Luego prenden la televisión, el radio o se ponen a leer el periódico para ver solamente las notas rojas, las malas noticias, cuántas muertes hubo, cuántas violaciones, cuánto narcotráfico, ese tipo de basura.

Sin embargo, conozco y reconozco que los medios de comunicación tienen la obligación de informarnos lo que está sucediendo en nuestro mundo, pero tenemos la opción de leer las malas o las buenas noticias.

SOLUCIÓN

Por eso, mi querido amigo, desde este instante estamos programando LO BUENO, LO PURO, LO LIMPIO y LO NECESARIO en la mente.

Quiero que programes desde ahora en adelante una buena música de ritmo rápido en la mañana, o bien un buen casete de motivación. (Hay uno magnifico que se llama "El despertador".)

Pero antes de todo, lo que debe hacer es poner en tu mente

LO BUENO,
LO PURO,
LO LIMPIO Y
LO NECESARIO

Y cada mañana la empezarás diciendo: "¡Qué precioso día! Viviré este día como si fuera el último de mi vida". Si no quieres creer lo que estoy diciendo, no lo hagas, simplemente mañana por la mañana ponlo en práctica.

Te advierto que al hacer esto la primera vez te vas a sentir ridículo. Sí, porque no estás acostumbrado a hacerlo. Si tu hijo te ve, lo más probable es que diga: "Mamá, quién sabe qué tiene mi papá". Luego se te quedará viendo y exclamará: "Mi papá de plano perdió toda conciencia. Ya se volvió loquito". ¿Qué sucede? Que la gente no está acostumbrada a ver personas entusiastas, y cuando descubre una cree que anda mal.

Nosotros escogemos qué tipo de vida queremos tener. Por eso dijo Dale Carnegie bien claro: "Positivo es aquel que al levantarse por la mañana y abrocharse los zapatos da gracias a Dios por estar de nuevo de pie".

Como ves, nosotros tuvimos esa gran bendición este día; disfrútala enormemente.

Otra cosa: queda totalmente prohibido hacer las "juntas de lamentaciones". Hay muchas personas que lo primero que hacen por la mañana en sus casas o en sus oficinas es su "junta de lamentaciones".

Que la empresa debería darnos esto, o deberíamos de tener aquello, o si hubiera conseguido lo otro, etcétera. No empieces a hablar de tus problemas físicos o emocionales, porque al 50% de las personas que los escucha no le interesan, y al otro 50% hasta gusto le da oírte.

Algunos llegan quejándose y comentan: "Ayer tuve una discusión con mi esposa, nos peleamos. Yo creo que me voy a divorciar…"

Y ahí están los demás exponiendo su punto de vista, o sea, sólo regodeándose con los problemas de los demás. No es necesario hacer eso.

Posteriormente exponen sus problemas físicos: "me torcí una mano", "a mí me duele la cintura", "no tolero el dolor del pie". Tampoco hables de tus problemas físicos o emocionales, porque a la gente no le interesan. Debemos hablar siempre de LO BUENO, LO PURO, LO LIMPIO y LO NECESARIO, de lo contrario se nos formará el hábito de hacer "juntas de lamentaciones".

LOS HÁBITOS

El común denominador del éxito es:

**formar el hábito
de hacer las cosas
que a los fracasados
no les gusta hacer.**

Repítelo: debemos formar el hábito de hacer las cosas que a los demás fracasados no les gusta hacer.

Todos los resultados en la vida hasta ahora han sido producto de nuestros hábitos. Sí, el empleo que tenemos, la ropa que vestimos, las circunstancias por las que estamos atravesando, es producto de nuestros hábitos.

Los hábitos son una especie de polilla que se apodera de nuestro cuerpo y nuestra mente; los seres humanos somos criaturas de hábitos. Esto significa que la mente subconsciente es muy inteligente: cuando recibe el mismo pensamiento repetidas veces, hace las cosas automáticamente. Dice "¡Ah! Esta orden es la misma, va de aquel lado".

Es decir, si vemos las cosas negativas de la vida, si somos pesimistas, antes de darnos cuenta nos convertimos en personas pesimistas.

Hay tantas personas pesimistas en el mundo, que aquí mismo en tu ciudad se iba a formar el "club de los pesimistas", pero no creyeron que funcionara y...
¡mejor no lo hicieron!

Estoy bromeando, pero una cosa es cierta: cuando repetimos la misma acción varias veces, eso nos forma... UN HÁBITO. Y es tan difícil cambiar después esos hábitos que muchas veces los seguimos practicando por 20, 30, 40, 50 ó 70 años.

¿Cuántos años tienes y cuántos hábitos has adquirido a través de los años?

Así es como mucha gente empieza a ver lo malo de la vida, empieza a ver lo negativo, empieza a deprimirse continuamente, y llegamos a considerarla un apersona amargada. Por eso, todo en nuestra vida es producto de nuestros hábitos:

Cualquier pensamiento repetido puede formarnos buenos o malos hábitos.

El hábito de ser entusiasta, por ejemplo, debemos fijarlo en nuestra mente, y como no estamos acostumbrados, pues normalmente nos sentimos ridículos.

Cuando les digo a las personas en mis seminarios en vivo: "A ver, levántense y digan: ESTOY FUERTE, SANO Y FELIZ".

Se levantan y veo que algunos dudan titubean, como pidiendo disculpas, como diciendo "qué ridículo me veo, ¿verdad?"

"Cuántos de ustedes se sienten ridículos?", les pregunto. La mayoría levanta la mano, y es simplemente porque no estamos acostumbrados a practicar el entusiasmo.

En cambio, si lo invitara a hacer la "junta de lamentaciones" les saldría tan natural... Si les dijera vamos a repetir: "me siento triste, malo y deprimido", les saldría tan natural... Porque ese es un hábito bien instalado.

¡CAMBIA TUS HÁBITOS!

Ahora te explicaré cómo podemos cambiar nuestros hábitos. Primero quiero que pongas ambas manos hacia el frente con los dedos abiertos, y cuando cuente hasta tres vamos a enlazarlas.

¿Estás listo? Bien, aquí viene: uno, dos, tres, ¡ahora!

El objetivo de este ejercicio es mostrarte cómo puedes cambiar tus hábitos.

Lo más probable es que cuando termine de decir tres, hayas cerrado las manos… ¿Qué es esto? Un hábito. Por favor, cruza tus manos como te había dicho, entrelaza los dedos y notarás que los pulgares fueron los primeros en quedarse entrelazados.

Los siguientes son los índices; después de los pulgares, los dedos que se cruzan normalmente son el índice derecho o el índice izquierdo. ¿Tú cuál dedo índice cruzaste después de los dedos pulgares?, ¿el derecho o el izquierdo?

Bien. Vuelve a separar las manos. Cuando diga: uno, dos, tres, ¡ahora!, vamos a cerrar nuestras manos, pero de la forma como no estamos acostumbrados; o sea, yo normalmente cruzo el dedo índice derecho después de los pulgares, pero ahora voy a hacer el propósito de cruzar del dedo índice izquierdo depuse de los dedos pulgares.

Veamos qué sucede. Separa tus manos, listo: uno, dos,

tres, ¡ahora! Entrelázalas como no estás acostumbrado. ¿Qué sucede ahora? Sientes las manos fuera de lugar, como que no se ensamblan, se sienten diferentes, raras, extrañas... ¿Sabes por qué? Porque no tenemos la costumbre, no tenemos el hábito de entrelazar las manos de esta manera. ¿Por qué las sientes mejor de la otra forma? Cámbialas a como estás acostumbrado: ahí está el hábito. Quiere decir que sin darnos cuenta cerramos las manos una y otra vez de igual manera hasta que nos formó el hábito.

¿Qué necesitamos hacer para establecer un nuevo hábito? Muy sencillo. Vuelve a separar tus manos, ahora las vamos a cerrar de nuevo cuando diga uno, dos, tres, ¡ahora! Bien uno, dos, tres, ¡ahora! Las enlazamos y sentimos las manos extrañas. Pues ahora ábrelas y ciérralas, ábrelas y ciérralas y si haces esto por 10 minutos diarios en un periodo de 21 a 30 días se establecerá el hábito de cerrar las manos de otra forma. Habrás establecido un nuevo hábito.

¿Podremos cambiar todos nuestros hábitos?

Si nos lo proponemos, claro que sí, y al cambiar nuestros hábitos automáticamente estaremos cambiando también nuestro destino.

Estoy hablando del hábito de levantarse temprano, de hacer ejercicio, de sentirse bien, de ser positivo, de hablar únicamente de lo bueno, lo puro, lo limpio y lo necesario, de evitar a la gente negativa, de cuando las cosas se ponen difíciles, cuando la vida te haga la pregunta, " ¿persistes o desistes?", decir:" ¡PERSISTO! Y aprender a tener valor y no temor.
Si empezamos a enfrentar nuestros malos hábitos comenzaremos a superar nuestras limitaciones personales. ¿Podremos cambiar nuestros hábitos y superar nuestras limitaciones personales?, vuelvo a preguntar. Por supuesto que sí.

¿Entonces crees ahora que puedes tener pleno control de tu destino? Si la respuesta es Sí, te felicito, pues perteneces al 5% de las personas que saben que pueden tener control de tu vida, de sus circunstancias y son capitanes de su propio barco llamado destino.

Bien, hasta este momento hemos aprendido que todos podemos controlar nuestro destino y hacer las cosas que siempre hemos soñado hacer. Sin embargo, también hemos escuchado la pregunta más intrigante de nuestros tiempos: ¿Por qué cuando el éxito esta disponible para todos, tan pocas personas lo aprovechan?

La respuesta es sencilla: solamente 5% de los humanos son triunfadores o líderes y el otro 95% son soñadores o seguidores.

Nos pasamos la vida siguiendo a los demás, imitando a los demás; y

el secreto para pasar
de soñador a triunfador
es precisamente dejar
de imitar a los demás

Para lograrlo debemos de iniciar un gran cambio en nuestra vida, dar los dos primeros "pasitos de bebe".

1. Debemos creer que sí se puede.

2. Debemos tomar acción y seguir paso a paso las cuatro "D", que son:

a) El **D**eseo ardiente de hacerlo.
b) La **D**eterminación para hacerlo.
c) La **D**ecisión de hacerlo.
d) La **D**isciplina de terminar lo que hemos iniciado.

Y lo que es mejor, lograr que poco a poco se convierta en nuestra forma natural de ser; esto es, lograr que se convierta en un hábito el ser triunfador, porque recordemos:

**Para lograr el éxito
hay que formar el hábito
de hacer las cosas
que a los fracasados
no les gusta hacer**

Porque si no sustituimos los malos hábitos por buenos hábitos, entonces no podemos lograr el cambio y seguimos en el mismo lugar, sin avanzar.

Y eso no es lo que queremos. ¿Verdad?

CONTROLAR NUESTRAS EMOCIONES

Continuamos. A medida que avances en la lectura notaras que la información es cada vez más interesante.

Ahora vamos a hablar de cómo tener pleno control de nuestras emociones, porque cuando decimos NO, es la lógica la que funciona; la lógica te dice

**si trabajas más,
si produces más,
y si haces más vas
a tener más.**

Ya lo sabemos pero no lo hacemos; pero lo que muchos no comprenden y la psicología moderna todavía no acepta, es que los seres humanos no nos regimos por lógica, sino por emociones.

En le segmento que sigue te voy a mencionar lo que llamo la "anatomía de las emociones". Te voy a mostrar las emociones que a diario practicas más, y cómo tener pleno control de ellas.

Pero antes permíteme decirte que toda esta información es solamente un extracto de mis otros programas. He diseñado uno que es mi última obra, se llama *El poder de la magia mental,* en el cual he compactado información, y también como desarrollar el cerebro para tener más poder de visión, o sea, visualizar las cosas.

Asimismo he hecho análisis transaccional, que me ha permitido concientizarlas y entonces combatir esas pequeñas limitaciones personales a las cuales no había podido llegar.

Aquí hablaremos además de cómo reprogramar tu sistema nervioso, o sea, "nerocomunicación programable", como le llamo.

**Es una información
que no solamente te ayuda a programar
tu cuerpo y tu mente subconsciente,
sino también tu sistema nervioso
para que cualquier programación negativa
venga al presente a causar estímulo
y no depresión.**

En fin, es una síntesis de mucha información, y si pudieras te recomendaría que invirtieras en él. Se llama *El poder ilimitado de la magia mental*, y es un programa que consta de 12 lecciones y sus guías interiores para que aprendas a tener pleno control de tu mente. (www.alexdey.com.mx)

Bien, adelante con esto. Vamos a hablar de lo que es la "anatomía" de nuestras emociones; fíjate que sencillo es. Vamos a visualizarlo, para la cual te voy a pedir que veas la grafica numero 1

ANATOMIA DE LAS EMOCIONES.

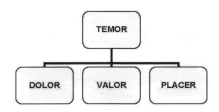

Esto es la anatomía de nuestras emociones. Lo primero que ves es la emoción que con mayor frecuencia causa el fracaso de muchos seres humanos, que más frena el desarrollo del potencial humano; la razón por la que una gran cantidad de personas no emprende las grandes ideas que tiene...

Estoy seguro que ustedes son personas con grandes talentos.

Algunos de ustedes son escritores, cantantes, músicos, bailarines, políticos, futbolistas, beisbolistas... o sea personas con grandes habilidades, talentos y bendiciones con los cuales han sido dotados.

Sólo permítame recordarles: no se los lleven a la tumba. No tiene caso mí querido amigo que paguemos el dolor del arrepentimiento; lo que quiero decir es que algunos de nosotros ya hemos sido escogidos para hacer cosas extraordinarias en la vida: nada nos traerá más satisfacción que llevarlas a cabo.

Podrás decir, "lo que pasa es que necesito casarme", te casa y piensas: "No es lo que necesitaba". Después cambias de parecer: "Quiero hacer un viaje, un gran viaje de dos o tres meses a Europa", y regresas y compruebas que no es lo que necesitabas. "Quiero un automóvil que me estimule", etcétera.

Podrás tener todas esas cosas pero tu vida nunca traerá autorrealización total hasta que hagas exactamente lo que te gusta hacer, lo que deseas hacer.

Cuántas personas sencillamente *toleran* sus vidas. Cuántas personas tienen prisa por morirse, porque no están haciendo las cosas que desean hacer.

Muchos dicen: "Quisiera que ya fueran las cinco de la tarde", "quisiera que ya fuera viernes" o" quisiera que ya fuera diciembre".

Y así se pasan toda la vida. De repente transcurrieron 30 años y piensan: "¡Qué rápido ha pasado el tiempo!" Un día se enfrentan al espejo, descubren que no son los mismos chiquillos o chiquillas simpáticos y agradables de otros tiempos.

Se dan cuenta que el tiempo y el destino los ha alcanzado.

Nada es más bello en la vida que hacer lo que te complace hacer. Te lo digo por experiencia propia. Ahora que viajo, que hablo mensualmente con tantas personas interesadas en estos conceptos, que quieren hacer grandes e importantes cambios en su vida; escuchan o leen esta información y se estimulan, progresan, triunfan y se desarrollan... ¡Qué bello es hacer lo que más te gusta y además te paguen!

Por eso mi querido amigo, nada hay más hermoso que la autorrealización, y esa yo no te la puedo dar; esa necesitas ganártela a pulso.

**Haz los cambios necesarios en tu vida
para que empieces a hacer
lo que más te gusta:
ESE DIA INICIARAS
TU JORNADA HACIA EL ÉXITO.**

¡Ah! Pero gracias a esta emoción llamada TEMOR nos frenamos: tenemos grandes ideas pero no queremos que nadie sepa de ellas por el temor a hacer el ridículo. Podríamos mejorar nuestro estilo de vida, pero no lo hacemos por miedo a que no funcione, a que nos rechacen, etcétera. Es decir,

**el TEMOR es la emoción
que más frena el desarrollo
del potencial humano.**

37

¿Queda eso bien claro?

Ahora vamos a practicar de aquí en adelante. Esta emoción se llama VALOR.

Es con el valor, mi querido amigo, como vamos a aprender a vencer el temor: el valor debe de ser mucho mayor que el temor.

Así les digo a las personas en mis seminarios en vivo: ¿Cuántos de ustedes están dispuestos, de este momento en adelante, a desterrar el temor de sus vidas y empezar a practicar el valor? La gran mayoría levanta la mano.

Cuando lo hacen, agrego: qué bueno porque van a tener la oportunidad de practicarlo ahora mismo. Pongo el micrófono en la base e invito a pasar al frente a algunos voluntarios.

Luego los incito para que repitan:

"Este es el primer día de mi nueva vida".

A ti te voy a pedir que hagas exactamente lo mismo ahora.

Quiero que repitas en este instante, pero sintiéndolo, haciendo un esfuerzo para que te llegue hasta los huesos:

"Este es el primer día
de mi nueva vida.
Porque de aquí en adelante
cuando la vida me ponga
la encrucijada y me diga:
¿desiste o persistes?
Voy a escoger ¡PERSISTO!

Pero dilo con coraje, con valor, no con temor. Recuerda que si quieres hacer esos cambios y transformaciones pero no tienes el valor, entonces debes aceptar las circunstancias por las que estás atravesando.

De otro modo, haz lo que más temas, y vencerás el miedo. Que nunca se te olvide esa frase, porque cuando tengas más temor debes repetir:

**haz lo más temas y
vencerás el miedo.**

Desarrolla, apóyate en tus emociones para que hagas esas transformaciones en tu vida, para realizar los cambios que deseas. De aquí en adelante vamos a considerar siempre:

¡SÍ SE PUEDE!
¡SÍ PUEDO!
¡LO VOY A LOGRAR!

Voy a lograr esa figura que quiero, voy a alcanzar esa habilidad, ese talento que quiero desarrollar, voy a lograr éxito en esa relación, voy a tener esa casa, ese automóvil, ese estilo de vida que tanto quiero.

Pero lo vas a pensar con valor.

Te pregunto: ¿se puede?
Y tú me contestas: ¡sí se puede!

**¿Se puede? ¡Sí se puede!
¿Se puede? ¡Si se puede!**

Pero necesitas aprender a apoyarte en las emociones no en la lógica, porque en muchas ocasiones la lógica te va a llevar a pensar que hay muchas razones por las que no deberías, pero las emociones te dicen que sí se puede. Han existido hombres extraordinarios que han practicado el valor, lo que los ha conducido a realizar grandes descubrimientos para la humanidad.

siento esa señal

Algo Grande y Extraordinario está por Suceder

08/21/2

39

TÚ ERES UNO DE ELLOS. Así que a practicar las cosas con valor. ¿De acuerdo?

Hay otras dos emociones, como puedes observar en nuestra gráfica 1, que también practicamos a diario; una se llama *placer* y la otra *dolor*.

Cada vez que tomamos una decisión involucramos placer o dolor; todo lo que hacemos en la vida es para aumentar placer o para disminuir dolor.

Lo que vamos a hacer a partir de ahora es relacionar todo con placer, porque si relacionas una cosa con placer, te gustara hacerla.

Por ejemplo, ¿los lunes con qué los relaciona la gente? Con dolor. Así contestan los saludos ese día:

- ¡Hola! ¿Cómo estás?
- Bien, para ser lunes…

¿Los viernes con qué los relaciona la gente? Con placer.
- ¡Hola! ¿Cómo estás?
- ¡Muy bien! ¡Ya es viernes!

Como ves, la mayoría de las personas viven la vida solamente para disfrutar viernes, sábado y domingo, lo que significa que no están contentas con su vida personal o profesional. Por eso tienen prisa por morirse.

Por eso de aquí en adelante vas a decir: "¡Ay, qué rico! ¡Ya mañana es lunes!"

Todos los cambios y transformaciones que vendrán a tu vida como resultado de esto deben ser apoyados en un solo concepto. No hace mucho me hicieron una entrevista en televisión y me preguntaron: "Alex, si solamente pudieras explicar a las personas por televisión en un minuto como podrían cambiar, ¿qué les dirías?"

Contesté: "Toda la información que he recaudado a

través de 18 años de investigaciones, los cambios que he logrado hacer en mi vida, están basados en un solo concepto: la AUTOSUGESTIÓN".

El cambio en tu vida puede darse a través de un solo concepto: la autosugestión.

¿Cuántos de ustedes han dicho una mentirilla, pero la han repetido tantas veces que se la han llegado a creer? ¿Será posible que aprendamos a mentirnos a nosotros mismo?

¡Claro que sí!

Decimos alguna cosa una y otra vez, hasta que nosotros la creemos. Eso mismo te voy a recomendar que hagas, que repitas una y otra vez hasta que aprendas a mentirte a ti mismo, pero solamente en lo positivo.

Recuerda: si hay algo que no te guste hacer, es porque lo has relacionado con dolor.

Dices: "No me gusta hacerlo", y lo has repetido tantas ocasiones hasta que te autosugestionas.

No olvides que la mente subconsciente es un genio que vive dentro de ti y que ha sido diseñado para cumplir todos tus caprichos, pero ¡cuidado!, porque de la misma manera que cumple los buenos deseos también cumple los malos.

Por eso es importante que tengas un criterio bien formado y una buena filosofía hacia la vida para que pienses que todo lo que vengas es bueno.

Las personas con éxito tenemos algo en común, todos pensamos que no hay mal que por bien no venga. Quiero decir mi querido amigo, que cualquier cosa que suceda en tu vida es por lo bueno. ¿De acuerdo? De aquí en adelante todo lo que suceda va a ser para que progreses.

Viene a mi memoria cuando empecé con mis seminarios de ventas, con mi curso "Cómo dominar el arte de venta moderna"; mi meta era llegar a las grandes masas, al público en general. De poder beneficiar con esta información a un estudiante, a una ama de casa, aun carpintero, a un profesor, predicador, doctor, etcétera. Cualquier persona que quisiera hacer grandes cambios en su vida, pero estaba enfrascado dando mis seminarios de venta únicamente; hasta que una vez me cancelaron el más grande de mis contratos y me forzaron a dar infamación abierta al público.

Como ves, todo lo que en la vida sucede es por el propio bien. Si no fuera por eso, ahora no estarías leyendo este libro.

Mi querido amigo, no hay mal que por bien no venga, debemos aprender a ser positivos.

Cualquier cosa que no nos guste hacer, vamos a decir:

"Me gusta hacerla, me gusta hacerla, me gusta hacerla, me gusta hacerla", hasta que empecemos a relacionarla con placer.

¿El trabajo con qué lo relaciona la gente, con placer o con dolor?

La mayoría de las personas – estoy hablando de un 95%, de los seguidores – lo relaciona con dolor: "¡Uy, hay que trabajar! ¡Uy, hay que entrarle a la chamba!"

Le llamas a cualquiera de tus amigos y al preguntarle como está. ¿Qué te dice?: "Pues aquí, trabajando, ¿Qué le hacemos?" Así como diciendo "pues aquí sufriendo, ni modo". En cambio, las personas que nos dedicamos a hacer las cosas que nos gusta hacer, tenemos una actitud muy distinta. Por ejemplo, yo digo que hace cinco años dejé de trabajar porque mi definición de trabajo es hacer una cosa mientras prefieres hacer otra, y yo repito: no prefiero hacer otra cosa. ¡Me fascina lo que hago! Y eso se transmite.

Una de las cosas que no me gustaba hacer es leer; aquí pude aplicar la anatomía de las emociones. No me gustaba leer porque me recordaba la primaria.

Yo sólo cursé hasta el sexto año de primaria y no fui precisamente de los estudiantes más brillantes; por lo tanto no me gustaba leer.

Pero una vez empecé a pensar "¡qué interesante es esto!", y empecé a conocer información de la cual yo estaba hambriento y comencé a decir: ¡qué interesante es leer! ¡Me fascina leer!

Después comprar libros, obtenía algunos casetes o videos de mis maestros y me iba a alguna montaña de Ruidoso en Nuevo México, Estados Unidos. Me retiraba una semana a escuchar, a nutrir mi mente de conocimientos; cuando regresaba ya valía más que cuando partí.

Porque lo más importante en la vida es aprender a invertir en tu mente. Como anotó sabiamente Benjamín Franklin:

"Vacía tu bolsillo
en tu mente
y tu mente llenará
tu bolsillo".

También aprendí a no escatimar esfuerzos al invertir en mi información, en mi preparación, en mi superación.

Por eso te aseguro que hasta lo desagradable puede llegar a ser bueno si lo relacionas con lo bueno. De aquí en adelante todo lo que tengamos que hacer lo vamos a relacionar con placer para disfrutarlo enormemente.

Como te habrás dado cuenta, todo se basa en el poder de la mente, en la interpretación de las cosas que nos suceden. Quiere decir que si cambiamos nuestra forma de pensar, entonces cambiaremos nuestra forma de actuar.

Si interpretamos y relacionamos todo con emociones positivas, o sea con placer, entonces disfrutaremos hacer las cosas que antes no nos gustaba hacer.

Esta misma lectura vamos a relacionarla con placer... Debemos repetirnos: "¡Cómo me gusta!'

Después de todo, recuerda que empezamos fingiendo y terminamos creyendo.

Ahora veremos una de las dos razones por la que las personas nunca logran su independencia financiera: es porque son víctimas del medio.

Aquí te voy a recomendar que concentres más tu atención, puesto que estas a punto de leer uno de los temas más importantes para lograr la evolución y desarrollo de tus talentos.

VÍCTIMAS DEL MEDIO AMBIENTE

Este tema es lo que me hizo reflexionar acerca de dónde venía, dónde estaba y hacia dónde iba, y también buscar respuesta de por que muchas personas no logran triunfar en la vida.

Esta es una de las dos razones más importantes por las que la mayoría no logra independencia financiera.

¿Qué pudiéramos decir? Todos quisiéramos conseguir la independencia financiera; aquí vamos a hablar de cómo obtenerla.

Y no estoy hablando de acumular millones y millones, no. Estoy hablando, mi querido amigo, de aprender a vivir cómodamente, pues no es más rico el que más tiene, sino el que menos necesita...

A muy temprana edad logré mi independencia financiera y mucho tuvo que ver la información sobre *Victimas del medio ambiente*.

Antes permítame ponerte en antecedentes sobre mi trayectoria, porque algunas personas cuando ahora me escuchan hablar en público piensan que soy un hombre muy preparado. Déjame repetirte que solamente estudie hasta sexto año de primaria y me he dado cuenta de que realmente la educación académica es muy importante, es una gran plataforma cultural para triunfar, pero si ya eres un adulto y no la tienes, no es necesaria.

No quiero que te escondas tras el "si yo hubiera..." "Si yo hubiera tenido aducación", "si yo hubiera nacido de padres millonarios".

El "si yo hubiera" es no asumir tu responsabilidad, porque te voy a demostrar, en este segmento, que todos realmente podemos hacer lo que queremos con lo que tenemos.

Hace muchos años, no sé cómo, mi madre y mi padre se conocieron en la frontera de México con Estados Unidos, Ciudad Juárez, Chihuahua. Lo más extraño es que mi padre nunca aprendió a hablar español y mi madre nunca aprendió a hablar ingles: falta de comunicación. Fuimos ocho hijos, por lo que creo que mi madre sólo aprendió a decir *yes*.

Empezamos a vivir en El Paso, Texas, pero mi padre, siendo un hombre muy emprendedor, nos cambio de allí a Los Ángeles, California. Era muy trabajador y un excelente vendedor, por lo que no batallo gran cosa en ganar dinero.

Al cabo de cuatro o cinco años ya tenía varias mueblerías con valor de varios millones de dólares; le había ido muy bien, pero tal parece que el dinero lo volvió muy olvidadizo, sí, se le olvidó el camino a casa.

Se le olvido que se había casado con aquella mexicanita de Irapuato, Guanajuato, México, y se caso con su secretaria que estaba mucho más guapa y joven. Fue tal la desilusión de mi madre, que nos llevó a Chihuahua de nuevo, y lo único que nos llevamos de esa casa cómoda, de todos esos muebles, de las cosas que teníamos, fueron cuatro maletas con nuestra ropa.

Recuerdo que fue un cambio cultural extraordinario en mi vida y no lo cambiaria por nada. Después de vivir holgadamente en Los Ángeles, nos cambiamos a una pequeña vencindad en un barrio de Ciudad Juárez, el cual hasta la fecha no tiene pavimento. Me acuerdo de cuando mi madre les decía a mis hermanas: "Ahora sí, tiendan las camas…" Dos colchonetas que tiraba en el piso, y ahí nos acostábamos: imagínate, nueve personas incluyendo a mi madre.

Esa vecindad tenia 11 viviendas y solamente una llave de agua, un baño y una regadera. Así es que si querías salir al sanitario en la noche tenías que
caminar hasta allá. Suena interesante ¿no?, pues cuando regresabas veías todos los cuerpos amontonados, parecían restos de la Revolución.

En aquel tiempo la verdad éramos muy pobres, muy humildes, y no es por presumir, pero a pesar de eso siempre comíamos suficiente, porque cuando decíamos: "Mama, ¿me sirve más, por favor?", ella respondía: "No, ya comió suficiente".

Aquella época fue realmente interesante y más cuando mi madre llegó a una importante conclusión: decidió que era más fácil que ocho mantuvieran a una, que una mantuviera a ocho, así que nos puso a todos a vender.

Nos preparaba unos panecitos que se llaman gorditas, los cuales salíamos a vender mis hermas y yo. ¡Uy! Recuerdo el primer día, querido amigo; yo creo que tenía alrededor de ocho años, cuando puse en mi cubeta los panecitos y salí a vender por primera vez. Tocaba puertas y la gente me compraba. Fue así que me convertí en un gran empresario, digo, en pequeña escala.

Porque después de todo debemos comprender el sueño de la excelencia, que significa tirarle bien en grande, pero teniendo el valor moral para empezar en pequeño.

Por eso yo empecé muy pequeño. Todo esto que te estoy diciendo Dios sabe que es verdad. Después, como a los 10 u 11 años ya sabía transportarme hasta el centro de Ciudad Juárez, así es que empecé a vender chicles y garapiñados en la plaza principal.

Ahí me convertí en todo un comerciante; posteriormente unos niños me enseñaron a cruzarme a bolear zapatos a Estados Unidos… Y comencé entonces a convertirme en un hombre de negocios internacional, a los 12 ó 13 años. Me ganaba de dos a tres dólares diarios, bastante dinero para mi y para mi familia en aquel tiempo, pues recuerda que éramos cinco hombres y todos trabajábamos.

Siempre me regresaba de aventón, para cruzar el puente de El Paso, hacia Ciudad Juárez, pues no iba a invertir 25 centavos de mis ganancias del día en pagar transportación. Una de esas noches mi vida cambio.

Llegó un precioso Cadillac azul oscuro, se paró frente a mi, y el hombre que iba adentro, Tom Rogers, abrió la ventana y me dijo: "¿Qué necesitas?" le conteste: "Un aventón por favor".

Durante el trayecto, el señor Rogers, una gran persona que literalmente transformo mi vida, me pregunto a que me dedicaba y si no me gustaría tener un trabajo permanente.

- ¡Claro que sí! – exclamé entusiasmado -. ¿Haciendo qué?
- Fabricando anuncios luminosos.
- ¿Cuánto me pagaría?
- 40 dólares por semana.
- ¡Acepto!

Llegué ese día a mi casa y sin pensarlo dos veces tome todas mis partencias y al otro día a las ocho de la mañana, allí estaba; de esta forma, a los 13 años salí de mi casa para vivir fuera. De ahí en adelante mi vida fue otra muy distinta.

¡Estaba yo tan emocionado! Me ganaba 40 dólares por semana, mucho dinero para mí, la verdad; era más que el salario mínimo en México en aquellos días. Era "todologo" pues hacía de todo: barría, pintaba, soldaba, lo que se ofreciera… Cuando mi primer viernes me formé en la fila para recibir mi cheque, vi el que le entregaron a una persona que iba delante de mí, no era de 40 dólares, sino de 400. Sorprendido, le pregunté:

- Oye, ¿Por qué ganaste tanto dinero esta semana?
- Porque soy vendedor profesional.

Le comenté que yo también había sido vendedor, pero que nunca había tenido entre mis manos una paga así.

- ¿Ah, sí? ¿Y qué has vendido?
- Panecillos, chicles, garapiñados, he boleado...

Se soltó a reír.

- ¿Y qué es un vendedor profesional? – agregué.
- **Una persona que aprende a decir ciertas palabras, de cierta manera, en el tiempo indicado – me explicó.**

El nombre de esta persona es Jerry López y hasta la fecha mi mejor amigo y mi padre adoptivo. Me llevó a vivir a su casa con su familia, se preocupó por empezarme a prepararme para el futuro. Recuerdo que en ese tiempo yo tenía el pelo largo y unas ideas que realmente iban con mi apariencia.

Jerry se propuso trabajar muy duro para transformarme totalmente, por lo que me obligó a escuchar unos casetes de motivación y superación personal de Earl Nightingale de Chicago, Illinois, cuyo mensaje realmente era muy aburrido.

Pero cuando notó que me quedaba dormido durante las horas diarias que duraba el ejercicio, me pidió hacerle un reporte diario. Un día, después de tantas semanas de escucharlo, noté que esa información sí se adaptaba a la clave de vida que tenía, a los cambios que quería hacer y a los sueños de grandeza y de superación que ocupaban mi mente.

Fue así que escuchar audios de motivación se volvió una costumbre para mí. Mi querido amigo, de ahí en adelante la vida fue para mi tan placentera, que a los 15 años de edad ya ganaba 400 dólares por semana. A los 19 ya tenía una posición importante ante la Cámara de Comercio; ganaba 2,000 a 5,000 dólares por semana en comisiones

Llegué a tener ese Cadillac, esa casa, todo lo que había imaginado. Ocupé la portada de la revista de la Cámara de Comercio como joven más destacado de los años setenta. Mi querido amigo, mi vida se había transformado.

Pero cuando mejor me estaba yendo, algo sucedió. Empecé a levantarme tarde, comencé a ir a la *happy hour* todos los días a tomar, empecé, en una palabra, a dejar de hacer las cosas que me dieron éxito. Y mi vida cambio de nuevo.

Mi esposa me dejó, me despidieron del empleo donde tan bien me estaba yendo; un día llegué a mi casa y estaba cerrada, también me quitaron mi automóvil... Porque en la vida cuando cambiamos nuestra actitud, automáticamente cambia nuestra posición. O sea que fui víctima de un fenómeno mental que nos llega a muchos, especialmente a los hispanos, que se llama prepotencia. Sí.

Después esa hermosa casa se convirtió en un pequeño departamento, tan pequeño, tan pequeño, que debía lavar mis trastes en la tina de baño; tenía para distraerme solamente una televisión en blanco y negro. Comía en exceso, aumente 30 kilos, mi vida era otra y me sentía de 90 años.

Hasta que un día fui a visitar a mi hijo, era un 4 de julio, me acuerdo muy bien me pidió que le comprara un globo, se lo pedí al globero. Costaba 25 centavos, metí la mano a la bolsa y me percaté de que no los tenía. Con dolor en mi corazón se lo quité, se lo regresé al globero y desde ese día, mi querido amigo, decidí empezar de nuevo. Me pregunté cual seria la diferencia entre las personas que seguían triunfando y yo, que en ese momento me encontraba en mala racha.

A partir de ahí me entregue en cuerpo y alma y con toda pasión a descubrir cuales son las razones por las que algunas personas triunfan y otras viven miserablemente.

Desde entonces y hasta la fecha he logrado hacer grandes e importantes cambios en mi vida y es la razón por la que te estoy hablando de estos conceptos. En menos de 24 meses, al utilizar la fórmula del éxito que te estoy dando en este libro, mis estados financieros mostraban ya casi un millón de dólares; antes de los 30 años ya habían alcanzado mi independencia financiera, mi familia regreso conmigo y mi vida volvió a ser mucho mejor que antes.

Por eso te voy a pedir que leas cómo es que nos convertimos en victimas del medio ambiente.

Un niño nace en una colonia sencilla y modesta de alguna ciudad; ese niño no sabe valerse por sí mismo, no sabe caminar, no sabe comer, no sabe ni siquiera hablar. Todo lo tiene que aprender, y lo más extraño es que lo hace a través de la imitación.

Sí, muchos padres creen que ellos enseñaron a hablar a sus hijos, pero la verdad es que los hijos aprendieron a imitarlos a ellos. Cómo hablan, cómo se conduce, cómo piensan etcétera. Pues los padres de esa criatura, a quien le vamos a llamar Juan Pérez, van a convertirse en el modelo de Juanito, que va a aprender a hablar, a conducirse, a pensar y planear como ellos.

Y si ese niño tiene un padre y una madre mediocres, lo más probable es que ese niño sea una persona mediocre cuando sea mayor. Algún día pertenecerá a la misma religión y lo más probable es que también al mismo grupo político.

Ahora, todos tenemos una capacidad extraordinaria

para crear, pero nos dedicamos a imitar a los demás, por lo tanto terminamos igual que los demás, que viene siendo la moraleja de este capítulo: VÍCTIMAS DEL MEDIO AMBIENTE.

Cuando el ser humano desarrolla más su habilidad y su capacidad para aprender es de cero a seis años de edad. Pasa el tiempo y Juan llega a los seis años y ha aprendido ya lo que necesitaba para tener pleno contacto con la vida y su entorno.

Llega un momento en que este niño sale del seno familiar para ingresar a la escuela y ahora no imita a sus padres, empieza a imitar a sus compañeros y a lo mejor por el barrio en el que vive, por las circunstancias y el medio donde se desarrolla, Juan se va a juntar con niños que probablemente tienen un padre más mediocre que el suyo. (Y este es uno de los serios problemas de nuestra sociedad.)

Si sus compañeros se rompen los pantalones porque dicen que es moda, Juan también se los rompe; si caminan de cierta manera, si arrastran los pies al caminar, él lo hace de igual manera, porque para un niño lo más importante es formar parte de su grupo, ser aceptado, ser miembro de su pequeña organización.

Pues bien, Juan llega a sus estudios de secundaria o preparatoria; para cuando alcanza esos niveles, lo decisivo es su deseo vehemente de ser aceptado por sus compañeros y gustarle a las niñas. Esto tiene mayor prioridad inclusive que lo dicho por sus padres. Qué ironía, ¿verdad?

Cuando Juan tiene alrededor de 15 años se da cuenta de que sus amigos se brincan una barda para esconderse y fumar, y los imita, porque a esa edad cobra más fuerza la imitación.

Bien, llega un día que este joven sale de la preparatoria; ahora se encuentra más solo que nunca, nadie lo comprende y atraviesa por estados de ánimo cambiantes: se pasa el día en la esquina de su casa sin hacer nada.

Y como sucede siempre,

**Si en vida
no tenemos un plan,
alguien nos va a hacer parte
de su plan.**

Si en vida no te decides, otra persona se va a decidir por ti, como sucede con Juan Pérez cuando tiene aproximadamente 17 años.

Una vez estando en la esquina de su casa haciendo nada, pasa un joven amigo y le dice:

- ¿Qué haces? ¿No estas en la escuela?

- No – contesta malhumorado. Entonces su amigo le pregunta -:

- ¿Por qué no vienes a trabajar donde nosotros trabajamos?

- Mira, nos dan el salario mínimo, todas las prestaciones, en fin, yo conozco al supervisor y es muy probable que te dé empleo. Para que te vistas bien, para que invites a tu novia a salir, para que tengas dinero para tus gastos... Y puede ser temporal mientras consigues un mejor empleo.

- Esta bien – le dice nuestro amigo.

Al aceptar, Juan Pérez acaba de programar su destino.

Lo malo es que ni cuenta se da; le llevó menos tiempo decidir su destino que esa misma mañana elegir ropa.

Al entrar a trabajar a la fábrica, cruza por donde está estacionado un automóvil lujoso del año que decía "director general". Se queda impresionado y en su mente el futuro pasa como un "flashazo", porque el protagonista de nuestra historia tiene un deseo ardiente de triunfo.

Y piensa que algún día podrá tener un automóvil como ese.

Al entrar a la fábrica se sorprende por el lugar, que es grande y espectacular, por las luces, el sonido, las máquinas, la gente... Y piensa que algún día podrá llegar a formar parte importante de la empresa; podrá llegar a ser supervisor, gerente y, ¿Por qué no?, hasta el director general.

Al siguiente día se presenta Juan a trabajar. Llega más temprano que los demás y bien arreglado; trabaja más que los demás y en tres días aprende lo que a otros les llevó 30. Total que la primera semana es muy productiva.

Pero no transcurre mucho tiempo antes que los demás le pudieran observar para comenzar a lanzarle comentarios irónicos. Sí, a hacerle burla:

- Miren, ya esta trabajando Juan Pérez, lo van a hacer supervisor...

- No, hombre, lo van hacer gerente – dice otro.

- No, ¡lo van a hacer accionista de la empresa!

Soltaron todas las carcajadas y de apodo le dijeron "El accionista".

Nuestro amigo se siente totalmente rechazado en su medio, al cual está acostumbrado desde los seis años, por lo tanto decide hacer las cosas como los demás le dicen. Viene el cabecilla del grupo de las victimas del medio y le dice:
- Mira, Juancho, te vamos a aclarar cómo se hacen las cosas aquí. Primero, nadie llega más temprano a trabajar, al contrario, llegamos un poco tarde, pero mandamos a una

persona a checar las tarjetas para que todos lleguemos a tiempo. Además, no te preocupes en producir tanto, hombre. Una hora antes de salir nada más haz como que está trabajando... ¿Tú crees que a la empresa le interesa mucho lo que estamos haciendo? ¿La productividad que tenemos? ¡Lo único que quieren es explotarnos!

- Está bien – contesta Juan, bajando la cabeza.

Lo que no sabe es que está frenando su potencial humano de por vida, evitando toda posibilidad de lograr un día su independencia financiera. ¿Y cuál realmente es la trascendencia de ser o no ser víctimas del medio?

Antes de seguir debemos recordar que una de las razones por la que la gente nunca alcanza la independencia financiera es precisamente porque son víctimas del medio. En un estudio hecho hace años, se obtuvieron estas estadísticas.

Se trataba de averiguar de cada 100 jóvenes que salen en busca de su independencia financiera o fortuna a la edad de 17 años, ¿cuántos la logran verdaderamente a la edad de 75?

Aquí veremos los resultados que arrojó la encuesta:

a) Uno de ellos gana todo el dinero que quiere para él y su familia; de hecho, pueden vivir sin tener que trabajar. Esto es, una de cada 100 personas gana mucho dinero, establece una gran fortuna y logra la independencia financiera.

b) Cuatro de ellos logran una independencia financiera y no significa que sean multimillonarios o muy ricos, simplemente viven cómodamente. Tienen su casa, su automóvil y dinero en el banco; gozan de un capital que les permitirá vivir sin preocuparse a la edad de 75 años.

c) Cinco de ellos siguen todavía trabajando.

d) 36 ya han muerto a la edad de 75 años.

e) 5 están totalmente arruinados.

Quiere decir que la gran mayoría de las personas, estoy hablando de más del 50%, a la edad de 75 años normalmente dependen de amigos o de parientes para poder comer. ¿Por qué? Recuerda que ésta es la pregunta más intrigante de nuestros tiempos.

¿Por qué, cuando el éxito está disponible para todos, tan pocas personas lo aprovechan? Aquí volvemos al caso de nuestro amigo Juan Pérez: una de las razones por la que muchas personas no alcanzan la independencia financiera es porque se pasan toda la vida imitando a los demás.

No pretendo decirte con esta información que te hagas rico, sino solamente aprendas algo que yo aprendí hace mucho tiempo en el libro *El hombre más rico de Babilonia*: 10% de todo lo que gano es para mí.

**Si solamente ahorras 10%
de todo lo que ganas durante toda tu vida
trabajadora, vas a tener suficiente para
que a la edad de 75 años seas dueño
de una casa, de tus cosas básicas y
elementos y, sobre todo,
el suficiente dinero para comer.**

Veamos qué sucede con Juan. Empieza a trabajar en esta fábrica y se convierte en victima del medio al decidir comportarse exactamente igual que sus amigos. Recuerda que al ingresar a trabajar allí "temporalmente" tenía 17 años.

Pero pasa el tiempo y nuestro amigo ya no tiene 17, sino 27 años y sigue trabajando allí "temporalmente". Alos 27 se casa, y no precisamente porque ya encontró a la persona con quien quiere compartir su vida, formar una familia y programar el resto de sus días. No, se casa porque su familia le repite que lo haga porque se está quedando solterón. Lo mismo le dicen sus amigos, así que un día piensa: "Bueno, ya me voy a casar".

Encuentra una mujer que no es la más adecuada, pero se une a ella porque las circunstancias lo obligaron, es decir, su medio. Para transportar a su esposa necesita un automóvil que se adapte a sus necesidades futuras de familia, pero se compra uno de acuerdo con sus ingresos, no con sus deseos. No hace ningún esfuerzo extraordinario. Compra un automóvil igual al de sus compañeros, un Volkswagen idéntico al de los demás; su estado es tal, que cada mañana es toda una odisea hacerlo arrancar.

¿Por qué? Porque Juan es una víctima del medio. También necesita una casa para su familia: muy sencillo, se compra una igualita a la de sus compañeros, es más, las hacen en serie.

Pasan los años y ahora nuestro compañero ya no tiene 27 años, tiene 37, dos hijos y sigue trabajando en la fábrica "temporalmente".

Por las tardes Juan sale de su trabajo, se sube a su pequeño automóvil, llega a su pequeña casa, le da un beso a su esposa y le dice: "Estoy cansado". (Porque de igual forma decía su padre.)

Después procede a abrir el refrigerador, toma una cerveza y se sienta a ver la televisión toda la tarde.

Son muchas las personas que pasan todas las tardes viendo televisión; el trabajador promedio invierte mínimo de dos a tres horas diarias en este pasatiempo. Y así, mientras está sentado mirándola, callada y pacientemente escapa de sus manos su único patrimonio: el tiempo.

Antes de que nuestro amigo lo advierta, ya no tiene 37 años; recientemente cumplió 47 y todos los días hace lo mismo: sale de su trabajo, se sube a su automóvil, llega a su casa, besa a su esposa, le dice estoy cansado, se dirige al refrigerador a abrir una cerveza y se sienta a ver la televisión toda la tarde.

Lo curioso es que no hace nada para admirarla como un descubrimiento de nuestra era, no, sino como una forma de escapar de este mundo, de su trabajo, de su vida, a la cual ha llegado a considerar poco interesante y hasta aburrida. Y le fascinan las películas de ciencia ficción porque vivir el personaje del heroe y dejar a un lado la realidad.

Es entonces que Juan Pérez cae en otra situación que se llama la crisis *de la realidad*, de la cual vamos hablar en unos momentos. El tiempo, la vida de Juan, sigue transcurriendo sin piedad y ni cuenta se da.

Nadie ha llegado a darle un par de bofetadas emocionales y decirle:

¡DESPIERTA!

Estamos viviendo la era mental, la era de la actualidad, en la que toda persona que quiera superarse lo va a lograr.

En la que podrías llegar a convertirte en el director de esa empresa, así como lo soñaste un día, si solamente te entregas en cuerpo y alma y con toda pasión, si te superas, si te preparas...

Pero la mayoría esta esperando que la empresa le ofrezca un aumento para entonces tener una mejor actitud; y la empresa está esperando que su gente tenga una mejor actitud para luego aumentarle el salario.

Mi querido amigo, el querer que primero la vida cambie es como acercarnos a nuestro automóvil por la mañana y pensar que va a funcionar sin gasolina o caminar con sólo desearlo. ¿Verdad que no funciona?

Tampoco la vida funciona así. Por eso es que muchísimas personas, miles y millones siguen viviendo en la oscuridad, en la mediocridad, en la intranquilidad; una existencia que no están disfrutando: esperando solamente que llegue la muerte.

Por ello te repito: **lo que quiero transmitirte es que todos podemos cambiar, todos podemos superarnos**, pero primero vamos a cambiar nuestra forma de pensar.

Continuemos con nuestro compañero Juan Pérez. Ahora ya tiene 57 años.

En el 95% de los países del mundo, la gente está muriendo más joven cada vez. ¿Sabías que hace un par de décadas la gente vivía hasta los 100 años y ahora muy difícilmente alcanza los 60 o 65 años?

De pronto a Juan se le vienen los años encima: en este momento tiene 62 años y aquí, precisamente, es donde se le termina su tiempo.

¿Sabes lo que es la vida?
La vida es únicamente TIEMPO.

Y a nuestro amigo se le acaba de agotar el suyo. Toman su cuerpo, lo ponen en un estuche y lo sepultan tres metros bajo tierra.

Pero antes de fallecer, experimenta ese dolor horrendo que todos, antes de morir, sienten: el dolor del arrepentimiento. Y se pregunta: "¡Dios mío! ¿Qué he hecho con toda una vida? Si solamente volviera a vivir, haría esto, haría aquello, evitaría lo otro".

Se ha comprobado científicamente que después de que el ser humano fallece, unos instantes luego que se detiene el corazón, llega al cerebro un flujo adicional de sangre, el suficiente para recordar lo que ha sido toda su vida. Es cuando experimenta el dolor más terrible que puede soportar el hombre: el dolor del arrepentimiento.

Mi querido amigo, que no te suceda esto, tienes vida, tienes tiempo; no importa tu edad. Dime, ¿Qué vas a hacer con el tiempo que te queda de vida?

Juan Pérez se sintió muy mal, pues tuvo mil deseos que nunca pudo satisfacer y sueños que no logró. Jamás experimento algo muy bello llamado autorrealización: hacer lo que te gusta. Nunca se dio la oportunidad a si mismo, por eso sufrió el dolor del arrepentimiento.

Quiero informarte que hay dos dolores qué pagar en la vida: el dolor del arrepentimiento o bien el dolor de la disciplina. Yo te aconsejo que pagues este último porque la disciplina empieza como un dolor, pero cuando ya se transforma en un hábito, lo empieza a disfrutar el cuerpo.

Así como te forzaste en muchas ocasiones a fumar hasta que te gustó, así necesitarás forzarte a hacer las cosas que no te gustan hasta convertirlas en un hábito y después tu cuerpo lo disfrutará como ahora goza el cigarrillo, comer en exceso o ciertos malos hábitos.

Te pido reflexiones si eres víctima del medio; recuerda que es gracias a la reflexión y a la experimentación como podemos hacer grandes e importantes cambios en nuestra vida.

"¿Soy víctima del medio?" Desde hacerte esta pregunta y aceptar la respuesta; un problema comprendido y aceptado está resuelto a la mitad."

"¿Quiero que mis hijos sean víctimas del medio?"
¿No? Entonces proporciónales uno mejor, pero no olvides

**que antes que ellos cambien
debes cambiar tú.**

Por eso... aquí viene de nuevo: eres lo que eres y estás en donde estás por lo que has puesto en tu mente. Puedes cambiar lo que eres y puedes cambiar en donde estás, cambiando lo que pongas en tu mente. ¿De acuerdo?

Por último, ¿Qué puedo hacer, si es que soy víctima del medio para cambiar?

Como ves, todo va encaminado a un cambio importante y trascendental que debes hacer en tu vida.

Quiero que por unos instantes imagines el tipo de persona que realmente quisieras ser. ¿Cómo caminarías? ¿Cómo seria tu físico? ¿Cómo vestirías? ¿Cómo te comportarías? Cuando tengas perfectamente bien fijo en tu mente, habla, camina y condúcete como la persona que tanto quisieras ser. Hasta que lo seas. Recuerda que empezamos fingiendo y terminamos creyendo.

Empecemos a cambiar autoimagen, o sea, lo que nosotros creemos que somos para convertirnos en la persona que tanto quisiéramos ser.

**¿Estás incrementando tus talentos?
¿Y tus habilidades?**

**El tiempo solo
no nos hace
más inteligentes o sabios
si a diario no incrementamos
información en nuestra
computadora mental.
¿Qué estás aprendiendo
para incrementar
tus habilidades
y talentos?**

Quiero que cada mañana te preguntes: ¿Cómo puedo ser mejor este día? ¿Qué puedo hacer para valer más? (No te olvides de que el que más sabe es quien mas vale.)

No importante si eres carpintero, panadero, doctor, profesor, estudiante o ama de casa... No interesa.

**Aprender a ser mejor en lo que haces,
disfrútalo y automáticamente irás
adquiriendo un valor agregado.
De esa forma dejarás de
ser víctima del medio.**

LA IMAGEN PROPIA

La segunda razón por la que la mayoría de las personas no logran su independencia financiera y hacer realidad sus más caros anhelos es su IMAGEN PROPIA.

Como recordarás, dijimos que íbamos a ir cambiando y evolucionando con "pasitos de bebé". Ese es le tercer paso que quiero que hagas: que corrijas y mejores al 100% tu imagen propia.

Primeramente, ¿Qué es imagen propia?

Es lo que sientes al ver tu persona en el espejo. ¿Qué sientes al verte reflejado en el espejo? ¿Sientes gusto, satisfacción, coraje o lástima? Porque lo que sientes lo trasmites a los demás.

Gracias a que muchos tienen una pobre imagen de sí mismos, nunca se harán realidad sus deseos, jamás se propondrán sobresalir en su empleo, no iniciarán una nueva carrera ni harán alguien importante de sí mismos: precisamente porque no se consideran como personas con todas las habilidades y talentos para lograrlo.

Por esa razón vamos a hablar de cómo cambiar nuestra imagen propia. Pero antes vamos a hacer un paréntesis para explicarte algo que algunas personas confunden con depresión. Esto se llama la crisis de la realidad.

La crisis de la realidad es la diferencia entre la vida que estás viviendo ahora y la que soñabas

cuando eras un chiquillo y que estarías viviendo en estas fechas.

Cuando éramos pequeños a lo mejor papá nos preguntaba qué íbamos a ser cuando creciéramos... Y decíamos muy contentos: "voy a ser licenciado", "voy a ser ingeniero", "voy a ser doctor", "voy a ser astronauta". Y nos imaginábamos que íbamos a vivir en una casa grande, que íbamos a tener muchas cosas, que íbamos a ser personas muy importantes, cuando de repente nos enfrentamos a la realidad y comprobamos que realmente no somos quienes queríamos ser.

Te voy a dar un ejemplo muy claro de lo que es la crisis de la realidad con el propósito de que enfrentes a ella y la superes; no olvides que un problema comprendido y aceptado está resuelto a la mitad.

Una mañana un hombre se prepara para ir a su trabajo; está frente al espejo rasurándose cuando de pronto se contempla a sí mismo como si estuviera viendo a un extraño y se pregunta: "¿Quién eres tú?" Se percata de que ya no es el mismo chiquillo simpático y agradable de hace unos cuantos años. Nota que en su cara aparecen ahora unas pequeñas arrugas, a lo mejor tiene escaso pelo o bastantes canas. Se queda pensativo y dice para sus adentros: "¿Ese soy yo?"

Voltea despacio a su alrededor y dice: "¿Esta es la casa en que yo quería vivir?" Analiza todo y haciendo un esfuerzo agrega: "¿Cómo viniste a terminar aquí?" Se da cuenta de que a puerta de su recámara está entreabierta y alcanza a ver a su esposa acostada rodeada de niños: "¿Cómo llegaron a mi vida todas estas personas?" Luego, al borde de la desesperación medita: "¿Estoy viviendo una vida interesante o una vida aburrida?"

Evoca la tarde anterior cuando estaba viendo una película en la televisión en la que el héroe (que normalmente no es feo, sino alto, robusto y bien parecido) aparece en la escena donde deja escapar varios balazos de su Magnum

44, con los cuales acaba con tres pillos, quienes, como siempre, por más que disparan no aciertan ninguno.

Luego, da media vuelta a su pistola, la vuelve a enfundar y procede a rescatar a la víctima, que tampoco tiene nada de fea.

Ella se levanta y lo premia con un beso; luego se alejan por un precioso paisaje mientras su Magnum 44 todavía humea. Como ves, nuestro hombre tiene en su mente un paisaje hermoso y un enorme deseo de lo que podría ser su vida…

Se queda mucho rato pensativo y dice: "¿Cuál ha sido el evento extraordinario que ha pasado en mi vida últimamente?" a su memoria viene la misma tarde anterior cuando su esposa le pidió abrir el frasco de la mermelada, lo cual ella no había conseguido hacer. Y vuelve a preguntarse: "¿Estoy verdaderamente viviendo una vida interesante o una vida aburrida?"

Intempestivamente cae el rastrillo de entre sus manos, haciéndolo volver a la realidad; para este momento se le había secado la espuma en la cara, su esposa y los niños se habían levantado y uno de ellos esta pisoteando la camisa que vestirá ese día… Y esa mañana un hombre va muy pensativo a su trabajo, en medio de la crisis de la realidad. ¿Cómo supera esta crisis?

Tendrá mucho que ver la información que llegue a su mente a diario, puesto que hay personas que permanecen de por vida lisiadas mentalmente.

Muchos superan la crisis de la realidad: los casados, logrando una mejor comunicación con su pareja, puesto que si no frenan esta crisis, automáticamente se desarrolla otra que llamamos la crisis laboral, que se manifiesta con una tremenda insatisfacción de lo que hacen obtener el pan de cada día, o sea, su trabajo.

Por consecuencia, este señor sigue cuestionándose en

su empleo: "¿Quiero hacer esto todavía? ¿Nunca voy a vivir una vida interesante, de película?"

Se para enfrente de un espejo y reflexiona: Porque la verdad, feo, feo no estoy. A lo mejor podría perder unos kilitos, lo mejor podría sentirme mucho mejor... Con lo que gano podría conducir un bello automóvil, porque no gano tan mal. Si no fuera porque tengo que mantener a mi esposa y tantos niños... Y luego para que ni me lo agradezcan. Llego a la casa y es como si entrara el perro, ni caso me hacen.

"Con ese dinero podría vestirme bien, me sentiría más joven, podría empezar a salir a algunas reuniones sociales en las que un día conocería a un dama que sí supiera valorarme".

Aquí es donde empieza poco a poco a alejarse de su familia; quiere pintarse el pelo, quiere sentirse diferente y tal vez pronto podría morir. Es la primera vez que considera que es un mortal y sus días están contados.

Pero si crees que es el único que se siente así estás equivocado. Ahora vamos a dirigirnos a su hogar y observemos a su esposa. En estos momentos ella está pensando: "¿Pues quién cree que es? La que trabaja realmente en esta casa soy yo. ¡Yo soy la criada las 24 horas y luego para que ni me lo agradezca! ¿Cuánto hace que no me invita a salir, que no me invita al cine? ¿Cuánto hace que no me compra un vestido, que no me regala flores?"

Por eso te digo mi querido amigo, si estás casado, invita a tu mujer a salir, ten detalles con ella hazla sentir bien, desarrolla tu comunicación, si no, tu esposa también pasará por la crisis de la realidad.

Ella se mira en el espejo mientras dice: "Fea, fea no estoy, me puedo pintar el pelo de rubio, puedo perder unos cuantos kilos, me puedo poner una minifalda o esa ropa moderna que hay por ahí... Y a lo mejor podría empezar a asistir a algunas reuniones sociales donde probablemente conocería a algún galán que sí sepa valorarme".

Cada uno está pensando lo mismo en direcciones opuestas, y el matrimonio no es estarse viendo el uno al otro todo el día, sino ver juntos en la misma dirección.

Amigo, reflexiona ahora y pregúntate si eres víctima de la crisis de la realidad, y si es el caso, empieza a trazar nuevas metas, realiza cosas más interesantes y emocionantes, únete más a tu familia y entonces pondrás vencer esta crisis.

Volviendo a la imagen propia, es importante sentirnos bien, porque de la manera como lo hagamos lo vamos a transmitir a otras personas.

No podemos llegar con un individuo y decirle: "¿oiga, no sería usted tan amable de quererme un poquito porque yo no me quiero nada?" Es imposible, ¿verdad?

Por eso es determinante tener y desarrollar una gran imagen propia. Te voy a contar una pequeña historia de un hombre que tenía una pobre imagen de sí mismo.

Era un chaparrito que andaba caminando por el centro de la gran ciudad y tenía tan pobre imagen de sí mismo, que ya andaba considerando inclusive el suicidio. Miraba al cielo y decía: "Dios mío, ¿para qué me mandaste a este mundo a sufrir? Soy chaparro, prieto y cabezón. Nadie me hace caso, a nadie le importo, ¿Por qué no mejor me llevas contigo?"

"¿Me tiro de un edificio? ¿Me lanzo a las ruedas de un automóvil?..." Así estaba, abstraído en sus pensamientos, cuando lo detiene una de las mejores vendedoras que conozco, una gitana.

- Ven para acá, chaparrito, te voy a leer tu futuro.
- No, gracias, no tengo ganas de llorar ahorita. (Fíjate, hablando de pesimistas.)
- Que vengas para acá, te voy a leer tu futuro.
Al fin lo convence, porque son muy buenas para

convencer las gitanas. Lo lleva a uno de esos cafés turcos y procede a leerle las cartas. Las saca, las barajas y las ponen al frente, luego exclama:

- ¡Ah!
- ¿Qué? – casi grita el chaparrito.
- Déjame asegurarme – dice ella mientras una gran emoción se refleja en su cara. Repite la operación y exclama -: ¡tú no eres tú!
- ¿Entonces quién soy yo? – pregunta el hombre ya nervioso.
- Tú eres... ¡Napoleón Bonaparte!
- ¡No!
- Sí, tú eres Napoleón Bonaparte.
- ¿Cómo está eso?
- Napoleón Bonaparte ha reencarnado en ti – le explica en voz baja.

Le vendió tan bien la idea al chaparrito, que salió corriendo directo a la biblioteca, en donde devoró la biografía de Napoleón Bonaparte. No salió de ahí hasta que la aprendió casi de memoria, con los ojos irritados de tanto leer, pero desde ese momento su actitud cambió, pues salió ya con la mano entre la camisa, con el mismo gesto que tenía Bonaparte.

Desde ese momento su vida se transformó, pues cambió su imagen propia. Al otro día se pregunto, cuando estaba parado frente a una gran empresa: "¿Cómo llegaría Napoleón Bonaparte a esa compañía a pedir empleo?" Cruza la calle, entra al edificio y dice: "Perdone, ¿Cuál es el mejor de sus vendedores?" Pues el señor tal y tal, le contesta. "Si usted me da oportunidad de vender aquí yo le aseguro que en los primeros 30 días voy a vender más que el mejor de sus ejecutivos, y si no me lo cree, guarde usted todas las comisiones. Si no le logro en 30 días, no me paga nada. ¿Qué le parece?

Cuando alguien habla con tanta seguridad, cualquier persona escucha, y fue lo que sucedió. Para hacer la historia más corta, "Napoleón Bonaparte" empezó a trabajar como vendedor y luego de muy poco tiempo era dueño de tres empresas y tenia más 40 personas trabajando para él.

Su vida se transformó totalmente porque cambió su imagen propia.

Pero una mañana estaba en su cómoda residencia leyendo el periódico y vio la foto de la gitana que le había dicho su suerte, y debajo de la misma decía que la había arrestado por mentir al público. Se quedó pensativo, sintiéndose decepcionado: "Entonces todo ha sido una farsa, entonces no soy Napoleón Bonaparte, entonces todo ha sido una gran mentira, entonces yo soy un chaparrito prieto y cabezón... Entonces yo vine al mundo a sufrir..."

El resto de la historia ya ni te lo cuento, porque debes imaginarlo. Nuestro amigo volvió a fracasar ¿Por qué? Porque cambio su imagen propia.

Por eso es importantísimo tener una gran imagen propia.

¿Te gustaría saber cómo cambiar tu imagen propia? Excelente.

PASO 1

Cambia lo que puedas y lo que no, acéptalo. Hay muchas personas que quieren adelgazar, por ejemplo. Si te molesta tu peso, inicio hoy mismo una dieta, practica ejercicio, cambia tu imagen propia. Te vas a sentir y desenvolver mejor. Sin embargo, hay una gran cantidad de personas obesas a quienes no les molesta su imagen propia, al contrario, son felices y totalmente desenvueltas.

Mi propósito con este tipo de información es que llegues a seer descarado, desvergonzado (en el buen sentido de la palabra),

**porque alguien así
se mete dondequiera,
propone lo que sea**

y sabe que lo peor
que le pueden decir es "no".

No pretendo parecer elegante y distinguido con este mensaje; mi objetivo es hablar con la verdad y llegar a tus emociones.

Entonces, cambia lo que puedas de tu imagen propia y lo que no, acéptalo.

Por ejemplo, a mí se me está cayendo el pelo; llego a una conclusión: lo cambio y me injerto cabello o simplemente me acepto así como soy. ¿Qué te perece?

Si no estás muy contento con el tipo de cara o cuerpo que tienes, si lo puedes cambiar, cámbialo y si no, acéptalo.

Y quiérete más de lo
que ahora te quieres.

Viene a mi memoria una ocasión cuando llevé a pesar a mi familia hace algunos años, al zoológico, cuando vivía en Miami, Florida. Andábamos recorriendo el lugar; conmigo iba mi hijo Christopher, que en ese tiempo tenía alrededor de cuatro años. Iba delante de mí y de pronto, al dar vuelta en una esquina, se quedó inmóvil, mirando algo que lo dejó totalmente sorprendido. Me inquieté un poco al preguntarme qué había visto mi hijo para quedarse de esa forma; me acerqué cauteloso y me di cuenta que era un elefante gigantesco, y más para un niño de esa edad.

Traté de cerciorarme de que el animal estuviera debidamente amarrado, pero cuál sería mi reacción al comprobar que lo único que llevaba era un pequeño lazo atado a una estaca, que podría romper en el momento que quisiera, frente a él, como única protección al publico, tenía una pequeña cerca de malla ciclónica de aproximadamente un metro de altura. Alarmado, hablé con uno de los encargados del zoológico:

- ¿Cómo es posible que tengan una bestia de este tamaño detenida únicamente con un lazo atado a una estaca? ¿No se dan cuenta que podría romperla y lastimar a cualquier persona, en ese caso a mi hijo?

- Sí, señor, pero no lo hará – contestó sereno el hombre.

- ¿Cómo no? ¡A lo mejor yo mismo la puedo romper! – insistí.

- Es más posible que usted lo haga a que el elefante siquiera lo intente.

- ¿Cómo esta eso?

- Permítame explicarle. Este elefante desde que nace es amarrado con un grillete y una cadena unida a una base de concreto, la cual es imposible mover. Los primeros meses el elefante tira y tira queriéndola romper, hasta que un día deja de intentarlo porque llega a la conclusión de que simplemente no va a poder hacerlo. Cuando el entrenador observa que el animal ya no tarta de romper la cadena, se la quita y lo amarra solamente con un lazo y jamás en su vida ese elefante tratará de romperla, porque cree que es una cadena.

La pregunta que yo te hago es, ¿podría ese elefante romper ese lazo si quisiera? ¡Claro que sí!

Pero, ¿Por qué no lo hace? ¿Sabes por qué? Porque no cree poder.

¿No tendrás tú alguna cadena imaginaria que realmente es un lazo sencillísimo de romper?

Sí. Muchas personas tienen una cadena que se llama timidez. Son tímidas porque no están contestas con su cuerpo, su cara, su estilo, o sea, tienen muy deteriorada su imagen propia.

Y ahora nos vamos hasta el paso número dos.

PASO 2

Que es romper esa cadena imaginaria para convertirte en una personas sin límites y extraordinaria.

Vamos a empezar a romper la timidez cada vez que tengamos que enfrentarnos a lago que nos cause temor a decir:

**haz lo que más temas
y vencerás el miedo.**

Recuerda en este momento el paso número uno: cambia lo que puedas y lo que no, acéptalo.

PASO 3

Finge, finge que ya eres la persona que tanto quisieras ser. Imagina cómo eres, ahora cómo quisieras ser; habla, camina y condúcete de esa forma hasta que lo logres. La clave es:

**empezamos fingiendo
y terminamos creyendo.**

Estoy dejando este paso inconcluso porque algunos me dicen: "Oye, ¿pero cómo me voy a mentir a mí mismo?" ¿Por qué no? Ya lo están haciendo, pero lo intentaremos al revés, es decir, constructivamente.

Otra sugerencia decisiva

**es que trates de rodearte
solamente de gente positiva,
evita a la negativa.**

Te vas a sentir muy solo por un buen tiempo, lo sé, porque es muy difícil encontrar gente positiva. La mayoría es negativa.

Te levantas por la mañana de muy buen humor, te paras frente al espejo y dices:

ESTOY FUERTE, SANO Y FELIZ.

Llegas a tu oficina y el primero que se cruza en tu camino te pregunta: ¿Qué te pasa? ¿Te sientes enfermo?

Hay más gente negativa que positiva. De 10 personas que están a nuestro alrededor, solamente una es motivadora y las demás desmotivadoras. Por eso, amigo, más vale solo que mal acompañado.

Es importante hacer conciencia de tener aunados todos estos elementos para poseer una gran imagen propia. Bien, hasta aquí he proporcionado suficiente información para lograr ese cambio que tanto deseamos.

Un medio sano y una gran imagen propia son los elementos indispensables de un triunfador.

Qué te perece si hacemos un breve inventario de los mayores recursos con los que contamos para lograrlo. El más importante es, sin duda alguna, la mente humana.

LA MENTE HUMANA, MANUAL DE OPERACIÓN

Este capítulo ha sido diseñado con el propósito de que aprendas a manejar tus patrones y estados mentales y también tus estados emocionales.

No hace mucho tiempo, en la Universidad de California, en Los Ángeles, se llevó a cabo una investigación para saber si era posible diseñar una máquina tan poderosa y tan potente como la mente humana.

Después de varios meses y debidamente financiado este proyecto, llegaron a la siguiente conclusión: la máquina sería mayor que un edificio de 12 pisos, requeriría la misma energía que una ciudad de medio millón de habitantes aproximadamente 100 millones de dólares construirla.

Dicho artefacto solamente tendría una pequeña diferencia en comparación con la mente humana: no podría crear un pensamiento, lo cual nos dice que no hay máquina sobre la faz de la Tierra capaz de compararse con nuestra mente.

Como ves, tú tienes una máquina que sí lo puede hacer y, por consiguiente, tu mente vale más de 100 millones de dólares; no vayas a venderla o empeñarla. Debes aprender a utilizarla; pensar puede ser desastroso si no se sabe hacerlo, porque entonces todo ese poder mental se vuelve en contra nuestra. No es lo que está sucediendo, es lo que estamos interpretando lo que queda en nuestra mente.

Nuestra mente subconsciente es como un genio que vive dentro de nosotros que fue diseñado única y exclusivamente para complacer todos nuestros caprichos, buenos o malos, **y es igual de fácil pensar positiva como negativamente.**

Cuesta lo mismo pensar de manera constructiva que destructiva. Pero antes debes saber algo muy importante sobre la mente subconsciente: no tiene sentido analítico, por lo tanto obedece ciegamente tus pensamientos. Es como cuando te prohíben acercarte a una persona que trae la nariz roja e irritada porque tiene gripa y te va a contagiar.

¿Sabes que el catarro no es contagioso? Pero si crees que sí, entonces seguro que también te atacará. Es lo mismo que cuando tomas un elevador, alguno de los que van dentro estornuda y piensas que ese tipo de pegará el catarro. En ese momento acabas de enviar un control a tu mente subconsciente que te obedece, mandándote la mejor y más rápida gripa que nunca hayas tenido.

Creer es permitir. Si no creemos algo, no lo estamos aceptando; aquí donde vamos a conocer el fabuloso poder de la autosugestión, que mencionaré en unos instantes.

Por lo pronto, te voy a pedir observes la gráfica número dos: "Las dos mentes".

LAS DOS MENTES

SUBCONSCIENTE 95% RESERVA MENTAL.

· Cristalizaciones.
· Obsesión.
· Creencias.
· Complejos.
· Limitaciones.
· Personales.
· Hábitos.

CONSCIENTE 5% RESERVA MENTAL.

• Deseo
• Patrones mentales.
• 7 – 10 patrones mentales para lograr la autosugestión.
• Ideas

Función: Controlar

Función: ¡Obedecer!

Aquí verás que tenemos dos mentes, no solamente una, como piensa el común de la gente. La primera se llama "mete consciente", que aproximadamente de 3 a 5% de nuestra reserva y capacidad mental.

O sea que la mente consciente con la que estoy estableciendo comunicación ahora mismo, lo único que haces es percibir información a través de mis cinco sentidos.

Esta mente no es tan poderosa, constituye solamente el 5%; toda la información que recauda se la transmite a la mente subconsciente por medio de patrones mentales.

Ejemplos: vemos un automóvil azul, diseñamos un patrón mental enviando el control del auto y su color. Abrimos la ventana, vemos la mañana y pensamos, es de día, lo cual transmitimos de inmediato al subconsciente es como un genio que tiene una máscara de plomo, no tiene oídos, no sabe qué está sucediendo en el exterior. Su criterio lo forma con la información que tú le proporciones. Por eso te repito que pensar puede ser desastroso cuando no se sabe hacerlo.

En relación con esto, quiero compartir contigo un pensamiento muy hermoso que realmente describe la mente subconsciente. Se llama "He encontrado un amigo".

Yo tuve un enemigo que mis pasos seguía
Y aunque parezca extraño yo no lo conocía
Mis planes y metas todo desbarataba
Mis mejores deseos por él no los lograba;
Un día pude encontrarlo y reclamé su cinismo
Le destapé la cara y me encontré a mí mismo.

Desde ese día todo se transformó
Pues aquel enemigo mi amigo se volvió
Mi antiguo enemigo subconsciente que antes interfería
Después me ayudaba y mis deseos cumplía.
Una vez que mis planes yo a él le confiaba
Casi sin darme cuenta él solo los lograba
Convencía a la gente, confianza me dio
Logró oportunidades que ya no malogró.

Hoy estamos de acuerdo y descubrí la verdad
Todo me es fácil y nada hay que no pueda lograr
Puedo ayudar a otros y no temo al destino
Porque soy sólo yo quien marca mi camino
Y ahora que ya no existe conflicto entre los dos
Puedo llegar a todo, inclusive hasta a Dios.

En estas líneas está perfectamente descrito lo que es la mente subconsciente: tú mejor amigo o tu peor enemigo, por eso debes aprender a controlar los llamados patrones mentales.

Puedes ver en la grafica, **si deseas algo o si te ocurre una gran idea, lo repetirás de siete a 10 veces dirías por un periodo de 21 días;** de esta forma el mensaje llega a la mente subconsciente y se establece como una obsesión. Fíjate en la gráfica cómo los patrones mentales van acumulándose.

Cuando estábamos pequeños nos llamaron la atención alguna vez diciéndonos tontos, luego se repitió en varias ocasiones hasta que se creó un patrón mental, luego lo transmitimos a nuestro subconsciente y se queda allí instalado. Cada vez que nos vuelven a decir tontos, el control se establece de nueva cuenta, reforzándose.

Pues bien, el patrón mental se establece arriba del otro produciendo lo que llamamos "CRISTALIZACIONES".

Un patrón mental de otro y otro arriba del anterior, etcétera, que al acumularse forman las "cristalizaciones", mejor conocidas como complejos.

En la mente subconsciente tenemos muchas células en las cuales vamos acumulando toda la información; se llaman neuronas. Existe en ellas tal capacidad de retener información, que podríamos memorizar 100 enciclopedias de las más completas que existen palabra. ¿Qué tan bueno o tan malo puede ser esto? Muchas veces puede ser peligroso, porque también estamos recabando información que no necesitamos. Así cuando se van instalando estos pequeños patrones mentales en el subconsciente, es como formamos las creencias, las tradiciones, los hábitos, los complejos.

Por eso, debes hacer una nota muy importante:

tu mente subconsciente
no tiene sentido analítico.

Seguro te ha sucedido en alguna ocasión que te levantas como a las siete de la tarde – cuando está oscureciendo-, luego de haberte tomado una buena siesta, y crees que es de mañana y podrías jurar que está amaneciendo y verdaderamente sientes como si así fuera; esto es porque le dices a la mente subconsciente que es de día, y le ordenas ponerse en marcha para trabajar y te empieza a proporcionar la energía, a hacer los cambios bioquímicos en tu cuerpo para que efectivamente funciones como su fuera en la mañana. Sorprendente, ¿verdad?

No olvides que el subconsciente no tiene sentido analítico, por lo tanto no conoce la diferencia entre la realidad y la fantasía. Quiero que comprendas bien, mi querido amigo, porque todos los cambios y la evolución del ser humano están basados, como dije anteriormente, en un solo concepto: la autosugestión.

Vamos pues a aprender a autosugestionarnos. Cuando te dije que podíamos conseguir una gran imagen propia y lo lograríamos primeramente fingiendo, te estaba hablando con la verdad. Y vamos a fingir hasta creer, porque empezamos mintiendo y terminamos creyendo,

la mente subconsciente no reconoce la diferencia entre la realidad y la fantasía.

Ahora hablemos un poco más de la mente y los hábitos. Cuando obtuviste tu primer automóvil no aprendiste inmediatamente a manejarlo. Lo más probable es que te haya llevado un tiempo saber cómo conducirlo, dos o tres veces perdiste el control y hasta se te apagó. ¿Por qué? Porque son muchos factores que no se pueden aprender a controlar en un solo momento, así que gradualmente necesitaste transmitírselos a la mente subconsciente hasta que se instalaron como hábitos. Al inicio del aprendizaje, la mente consciente pensó en organizarse y ordenó: el pie izquierdo es para el embrague, el derecho para el acelerador y el freno, la mano derecha para controlar las velocidades, la izquierda para el volante, las direcciones, etcétera.

Como puedes comprobar, son muchas cosas a la vez. ¿Qué necesitaste hacer? Repetir la misma acción varias veces para que se instalara como una "cristalización", de tal manera que llega un día en que tu mente tiene el completo control de la operación y manejas sin pensar.

Con frecuencia veo a muchas mujeres cuando se dirigen a su trabajo en la mañana: van masticando chicle, fumando, platicando, oyendo la radio, aplicándose maquillaje... ¿Quién va conduciendo? La mente subconsciente.

Si estás tomando cerveza continuamente, se acostumbra tu cuerpo a que tengas un bote o una botella en la mano, y esto es todavía más fuerte que el alcoholismo que se te va creando, ya que si cambias a refresco te vas a sentir exactamente igual. Bien, ahora sabemos algo muy importante: son necesarios de siete a 10 patrones mentales repetidos para lograr la autosugestión.

La misma cosa que repitas de siete a 10 veces se instala en la mente como un sistema, como un complejo. Y permíteme decirte algo: todos los complejos y todas las limitaciones personales que hemos programado hasta hoy se pueden quitar de la mente. Así como se instalaron, así podemos eliminar, y es precisamente de lo que vamos a hablar ahora, del poder de la autosugestión.

Cualquier patrón mental que repitamos de siete a 10 veces diarias por un periodo de 21 días logrará la autosugestión. He aquí cómo podemos cambiar nuestros hábitos, cómo podemos transformar nuestra imagen propia. Vamos a repetirnos LO BUENO, LO PURO, LO LIMPIO Y LO NECESARIO de siete a 10 veces diarias y conseguiremos la autosugestión.

Vamos a exponer un ejemplo práctico. Imagínate que estoy en uno de mis seminarios en vivo y de pronto me acerco a una señora y le digo:

- Oiga señora, se ve usted un poco delicada de salud. ¿Por qué no se sienta aquí donde le dé un poco mejor el aire? Está usted algo pálida. (La quiero sugestionar. Vamos a ver si lo logro.)

- No, mire, la verdad me siento perfectamente bien. No se moleste —me contesta.

¿Cuántos patrones van? Uno. Obviamente no la he sugestionado. Pasado un rato me dirijo de nuevo hacia ella e insisto:

- Señora, no sé si le gustaría tomar un poquito de agua, porque se ve algo pálida, como si estuviera delicada de salud.

- Mire, le repito que me siento perfectamente. No se preocupe, este es mi color – mantine su postura. (Van dos patrones mentales.)

Posteriormente uno de mis compañeros se acerca a la dama y le comunica:

- Señora, yo también la he estado observando, conozco de primeros auxilios... ¿Por qué no me permite tomarle el pulso?

- ¡Quítese! Ya les dije que me siento muy bien – ella exclama desesperada. (Con este son tres patrones mentales.)

Seguimos adelante con el curso cuando intempestivamente otro de mis compañeros interrumpe:

- ¿Saben qué? Yo definitivamente voy a llamar a la ambulancia.

La señora voltea a verlo y dice:

- ¡Pero bueno! ¿Pues que se traen éstos?

¿Pero ella se lo ha creído? Todavía no. (Van cuatro patrones mentales.)

Más tarde, dos individuos vestidos de blanco entran al salón con una camilla. La señora, casi histérica grita:

- ¡Pues para ser broma ya están muy avanzados! ¿No? (Van cinco patrones mentales pero todavía no logramos nuestro propósito.)

La llevan ya en la camilla y piensa:

"Lo más probable es que se trate de una broma de mal gusto, pero más vale que no me hagan enojar porque entonces les voy a decir cómo soy: soy muy buena por la buena pero muy mala por la mala". Empieza a enojarse de verdad, pero se siente bien. (Ya son seis patrones mentales.)

La llevan al hospital, al entrar piensa que la cosa va más en serio de lo que pensaba. (Van siete patrones mentales.) La conducen a uno de los cuartos, la observa el doctor, la revisa y después diagnóstica: "Señora, luego de haberla analizado cuidadosamente, me he dado cuenta que es presa de una terrible gripa y tiene principios de anemia. La vamos a tener que dejar aquí unos días en observación.

Sale el doctor de ahí, cierra la puerta. Ella se queda reflexionando y piensa: "Con razón últimamente no me he sentido muy bien". Llegó por fin el patrón mental a su subconsciente. Como ves, el creer es aceptar.

Increíblemente, en cuestión de segundos cambia su temperatura, su presión arterial y experimenta los síntomas de lo que el médico le dijo.

Se ha comprobado que un gran número de personas, al momento de recibir el diagnóstico clínico es cuando comienzan a sentirse mal, cunado se enferman. No es más que el fabuloso poder de la autosugestión.

¿Sabes por que muchas personas no triunfan? Porque no creen que puedan. Y ahí es donde están frenando su potencial: ahí es donde no están logrando la autosugestión positivamente, sino al contrario.

De igual forma, una gran cantidad de seres humanos son temerosos, demasiado tímidos… Simplemente porque se ha autosugestionado pensando que son cosas.

Bien, si has aprendido todo esto sobre la autosugestión,

de aquí en adelante podrás tener pleno control de tus circunstancias.

**¿Entonces, se puede tener control ciento
por ciento sobre la depresión?,
¿se puede evitar totalmente
en nuestras vidas?
¡Absolutamente!
¡Claro que sí!**

Existen ciertos rituales humanos que nosotros mismos desarrollamos; empezamos a sentirnos deprimidos y ahí viene todo el ritual. Pero todo empieza con un pensamiento que a partir de ahora puedes controlar.

Cuando empieces a sentir los primeros síntomas de la depresión, ¡espera! Detenla, cámbiala.

**DÍ: ME SIENTO FUERTE, SANO Y FELIZ
y repítelo cuantas veces quieras.**

Si haces solamente lo que estoy diciendo podrás tener pleno control de tus emociones y, por lo tanto, evitar la depresión por el resto de tu vida.

Practícalo.

**Podemos cambiar nuestros complejos,
nuestras limitaciones personales,
todo lo que no queramos tener
en nosotros mismos,
por medio de la autosugestión.
Y de esto se desprende algo muy
interesante: las creencias.**

Muchos creen en los achaques del caballero cuando su esposa está embarazada:

- Oye, ¿Por qué no vino a trabajar Juan?

- Es que está achacoso porque se esposa va a tener un bebé.

No hay tal cosa, no existe; está comprobado científicamente. Está en la mente, nada más.
¿Crees en los achaques de la vejez? Si crees en ellos, existen.

Nosotros mismos tenemos culpa de destruir nuestra imagen muchas veces. En ocasiones nos levantamos al baño a las dos de la madrugada y en esas circunstancias prendemos la luz y nos vemos al espejo: "¡Ay! ¿A poco ese soy yo?"

Imagínate el patrón mental que estás enviando a tu mente subconsciente. Entonces te sientes viejo, acabado, feo, pero no es más que la interpretación que le estás dando en ese momento a tus pensamientos.

Es mejor mirarse al espejo en la mañana luego de una buena ducha y ya vestido para ir a trabajar; así se empieza a mejorar la imagen propia.

Cambiemos nuestra forma de pensar, controlemos nuestros pensamientos por nuestro bien.

Levantémonos mañana y lo primero que digamos sea:

"¡Qué precioso día!
¡Viviré este día como si fuera el
último de mi vida!".

Luego nos ponemos de pie, nos vestimos y repetimos varias veces: ESTOY FUERTE, SANO Y FELIZ.

Reafirmo varias veces, porque la vida no es más que la interpretación de tus pensamientos. Las creencias, querido amigo, han sido grandes limitaciones para nosotros.

Muchos piensan que por venir de una familia humilde, en donde todos fueron empleados ellos también lo serán toda su vida. Pero hay algunos, en esa multitud, que fueron dotados con algo muy bello como es el deseo ardiente de triunfo.

Algo dentro de ustedes los despierta a media noche, algo los empuja a hacer cosas importantes: esto no es más que el poder de la mente subconsciente que dice: ¡Vamos a crear, vamos a lograr, vamos a destacar, vamos a triunfar! ¡Vamos a conseguir una posición destacada dentro de nuestra empresa, vamos a abrir nuestro propio negocio, vamos a tener éxito!"

Pero, por desgracia, nosotros conscientemente frenamos y limitamos a esa entidad mayor que vive dentro de nosotros y que es la mente subconsciente.

Por eso muchos no admiran lo bello del amanecer, lo frondoso de los árboles, la sonrisa de un niño; no se interesan en ver crecer una planta, en darse cuenta de lo que sucede a fin de que le salga una sola hojita. Ya bloquearon todo esto y se concentran únicamente en las cosas malas de ese día, de esa semana, de ese año o de la vida.

Enfócate en las cosas bellas y verás que puedes ser mucho más feliz.

Si acaba de suceder una tragedia en tu vida, si estás atravesando o atravesaste hace poco por la dolorosa experiencia de un divorcio, si perdiste a un ser querido, si estas en bancarrota, si te sientes totalmente mal, permítame decirte que eso no importa, sino la interpretación que le estás dando.

Esos mismos pensamientos los estás trayendo una y otra vez a tu mente y te perjudican. Cuando observamos un accidente automovilístico sufrimos lo que le pasó a las víctimas, o la angustia que experimentaron la sentimos nosotros. Cada vez que lo volvemos a pensar es como si lo viviéramos 16 veces más.

Te voy a pedir que aprendas a controlar tus pensamientos; te voy a pedir que aprendas a explotar estos dos recursos tan poderosos como son la mente humana y el tiempo. El tiempo es vida, no lo desperdicies. Trae a tu mente solamente LO BUENO, LO PURO, LO LIMPIO y LO NECESARIO.

En una entrevista de televisión me preguntaron cómo se podría aprender a ser totalmente feliz en un momento determinado. Muy fácil: trayendo a tu mente un momento de tu vida donde sentías felicidad total. Tal vez una reunión familiar, alguna Navidad, la cercanía de un ser querido...

Miro fijamente a mi entrevistador y le pregunto: ¿has tenido algún momento en tu vida en el que te hayas sentido completamente feliz?

EL ÉXITO

Si utilizas lo que te estoy diciendo tan sencillo como se lee, entonces alcanzaras el éxito en la vida. ¿Sabes lo que es el éxito?

El ÉXITO es la jornada continua hacia alcanzar predeterminadas y valiosas metas.

Eso es el éxito; la jornada continúa. Es imposible que de la noche a la mañana seas una persona con éxito, no; es una jornada y debe ser continúa. El éxito no es cunado se logran las cosas, sino cuando las emprendemos.

Disfrutamos más cuando salimos a cenar que cuando venimos de cenar; gozamos más cuando salimos de vacaciones que cuando regresamos de ellas. Y cuidado, porque a lo mejor consigues las cosas mediante metas propuestas a corto, mediano y largo plazos. Después de que alcancemos una, muy bien, a celebrar por lo pronto y a continuar con la siguiente. Eso es el éxito.

El ÉXITO es siempre estar alcanzando algo, no es el tenerlo, sino salir a obtenerlo.

Por eso la vida es más importante para ti de hoy en adelante. ¿Sabes qué día es hoy? Hoy es le primer día de tu nueva vida. ¿Sabes por que? Porque es el primer día el resto de tus días, y si utilizas todos los conceptos que te estoy diciendo, en este momento tu vida acaba de transformarse, y acabas de iniciar tu jornada hacia el éxito.

¿Cómo podría explicarte de una forma sencilla cómo he transformado mi vida y cómo miles de personas han cambiado la suya por medio de esta información tan sencilla?

Esta pregunta estaba en mi mente hasta que un día, viendo un entretenido programa en la televisión, encontré la formula para explicártelo.

¿Has visto cómo se transforma una oruga en mariposa? El programa inicia con dos orugas que platican animadamente. Una le dice a la otra:

- Ven, vamos, por acá encontraremos más comida.

De repente la otra se queda extasiada viendo a una mariposa que se posa frente a ella y exclama:

- ¡Mira! ¡Mira qué colores tan hermosos tiene en sus las! (Empieza a soñar y piensa lo mucho que le gustaría volar.)

La oruga negativa insiste:

- Ven, ¡déjate de tonterías!, ven por este lado

- ¡No! A mí me gustaría convertirme en una de esas.

La otra, mirándola incrédula agrega:

- Mira, si hubieras nacido para volar, tendrías alas. Ándale, vámonos.

- ¡Que no! Algo en mi interior me dice que yo lo puedo lograr, pero tengo que pagar el precio de la transformación.

- Oye. ¿Qué comiste que te hizo daño? Luego nos vemos, yo me voy a comer. Tú sigue con tus boberías – y dando media vuelta se marcha.

Como ves, la oruga positiva primeramente tuvo el deseo, después la determinación y en este instante toma la decisión. Se dice a si misma:

- ¡Yo lo voy a hacer!

Sabe que necesita fabricar un pequeño capullo de seda en uno de esos altos árboles, pero está decidida a hacerlo, desde el momento que da el primer paso. (Aquí es donde nuestra compañera inicia su jornada, así como tú estás tomando la determinación de cambiar ahora mismo.)

Busca un árbol grandísimo, lo encuentra y sin pensarlo dos veces empieza a escalar el tronco. Imagínate para un animalito de ese tamaño lo que le representa llegar a la parte alta del árbol. Es una gran jornada.

Piensa tú ahora en dónde estás y cómo se ve a donde quieres llegar. Se ve muy alto, se ve lejos pero no es como parece. Una jornada de 1,000 kilómetros principia con el primer paso. Nuestra amiguita ahora da el primer paso de la jornada hacia el éxito.

Avanza despacio por el tronco, al tiempo que las dudas empiezan a asaltar su mente: "¿Y si no existe tal cosa? ¿Qué me pasara? ¿Moriré ahí?"

Pero hace una cosa muy inteligente que te recomiendo que hagas tú también: continúa escalando lentamente para llegar a la cima del árbol.

Llega por fin y encuentra una ramita en donde

planea hacer su capullo. Sin dudarlo, se lanza al vacío dando una maroma hacia abajo; por la parte inferior

de la ramita teje un hilillo de seda y ahí comienza a fabricar su capullo. Ahora no dará marcha atrás:

es TRIUNFAR o MORIR intentándolo.
Entonces el sueño de la oruga
se convierte en realidad.
Desde el momento que se
dispone a fabricar su capullo
ya es un animalito con éxito.

De la misma forma que tú cuando tomas la determinación de hacer algo, ya tienes éxito. **Ahora necesitas la disciplina para poder alcanzar tus propósitos.**

Cuando lleva su obra a la mitad, llega la noche; se siente un poco sola. Tú también te vas a sentir solo en muchas ocasiones, porque la soledad es parte de tu desarrollo, parte del triunfo. No olvides que la vida es como una pirámide donde solamente el 5% de las personas vive en la cúspide, los demás abajo.

Las personas de la parte de arriba de la pirámide son menos populares que los de abajo, entonces la soledad es parte de tu desarrollo. En horas de soledad se han creado las mas bellas melodías del mundo, se han escrito los mejores libros; en soledad es donde más se estimula la creatividad del ser humano. Por eso la soledad es parte del precio de tu transformación.

Llega la madrugada y nuestra compañerita experimenta miedo, pero continúa, continúa. Nada la detiene. (Te recomiendo que, como ella, hagas tu trabajo y no solamente tu trabajo, sino un poco mas. Y ese poco más te dará más que todo tu trabajo.)

Si dudas, haz tu trabajo
y no solamente tu trabajo,
y si te cansas haz tu trabajo

**y no solamente tu trabajo,
y si te deprimes haz tu trabajo
y no solamente tu trabajo,
sino un poco más y ese poco
más te dará más que todo
tu trabajo, haz tu trabajo.**

La oruga de repente termina su capullo; permanece allí varias mañana, tardes, noche, varios días transcurren, hasta que una precios mañana, cuando el sol está en todo su esplendor, rompe delicadamente la bolsa y salen unas maravillosas alitas multicolores. Nuestra amiga logró su objetivo.

Sin embargo, su misión no estaba totalmente cumplida, pues debió permanecer ante el sol dos horas continuas a fin de que los líquidos de su cuerpo fluyeran sobre sus alas para tener pleno control de ellas. Este es un momento muy importante y peligroso a la vez, pues cualquiera de sus depredadores podría devorarla ahora, cuando no tiene ninguna defensa.

Pasan dos horas y la mariposa siente que ya puede mover sus las. Ahora se pregunta: "¿Sabré volar?"

Estaba tan emocionada y ansiosa por averiguarlo que se lanzó al vacío… Aquí su sueño se convierte en una vívida realidad; toma agua de los riachuelos,
se desliza por el viento y disfruta el polen de las flores, pasa por encima de los árboles…

Mira hacia abajo y distingue a su compañera, la otra oruga, todavía arrastrándose. Vuela y se posa frente a ella, que obviamente no la reconoce. La mira fijamente y le dice:

- ¡Soy yo!

- ¡Oh! ¡Lo lograste!

- ¡Claro!

- ¿Realmente puedes volar?

- ¡Sí! – y hacer un par de piruetas.

Entusiasmado el gusanito le pregunta:

- ¿Y qué necesito yo para llegar a volar como tú?

- Estar dispuesto a pagar el precio de la transformación. Necesitas fabricar un capullo de seda y esperar a que suceda.

- ¡Sí, lo quiero hacer!

Como ves, aquí esta tomando la decisión y la determinación.

- ¿Me permites tejer mi capullo cerca del tuyo?

- ¡Claro que sí!

Querido amigo, permítame hacerte saber que tú también puedes llegar a volar si solamente estás dispuesto a pagar el precio de la transformación.

**En la vida solamente
hay dos precios que pagar:
el dolor del arrepentimiento o
el dolor de la disciplina.
Te recomiendo que pagues e
l dolor de la disciplina,
de pensar positivamente,
de levantarte temprano,
de continuar, de tener constancia
sobre las cosas que haces.
De disciplinarte, de no caer en los malos hábitos,**

**de hacer las cosas diferentes a los demás,
de destacar, de triunfar,
de lograr esa buena comunicación
con tu familia.**

Proponerte establecer solamente buenos hábitos y mantener en tu mente nada más LO BUENO, LO PURO, LO LIMPIO y LO NECESARIO.

Y tú lo puedes hacer porque el dolor de la disciplina es temporal, porque más tarde se convertirá en un hábito que tu mente y tu cuerpo disfrutarán y entonces tu vida habrá cambiado.

Bien, si estás dispuesto a pagar el precio de la disciplina, el precio de la transformación, qué te perece si lo hacemos ahora mismo, porque **nada en la vida sucede hasta que estamos dispuestos a hacer una entrega total a ese cambio,** y así es como cambió mi vida. ¿Estás dispuesto a pagar el precio de la transformación ahora mismo? ¿Sí? De acuerdo.

A continuación encontrarás un denominado "contrato irrevocable". Amigo, este contrato cambió mi vida. Desde el año 1987 que lo firmé, he podido beneficiar con el mismo a miles de personas.

Se llama así porque significa que no podemos echar marcha atrás, que es triunfar o morir. Te pido que estés dispuesto a pagar ese precio. ¿Estas listo? Repítelo:

En este día prometo:
Iniciar una nueva etapa y hacer más con mi vida, alcanzar la grandeza que existe dentro de mí y que está esperando ser utilizada.

Hoy dejaré de huir de mí mismo y ya no fracasaré jamás, este es el día que por fin tengo el valor de enfrentarme a las circunstancias y los problemas y los venceré uno a la vez. No volveré a tomar el camino fácil.

Sacrificaré planes temporales disciplinando mis apetitos físicos y emocionales por alcanzar excelencia en mis esfuerzos de acercarme a mi meta.

Alimentaré mi mente de información, mi espíritu de positivismo y entusiasmo; y en mi continua jornada no permitiré que mi mente sea invadida por el ocio, pues sé que tengo la fuerza de voluntad necesaria para evitarlo.

Hoy también renuncio a la desidia, pereza, ignorancia, debilidad de carácter y otros malos hábitos que hunden al ser humano en las tinieblas de la mediocridad y del conformismo.

Pagaré el precio necesario de alcanzar esta meta, porque sé que el dolor del fracaso es mayor que cualquier sacrificio o trabajo.

Se que al firmar este contrato estoy dando un paso muy importante en mi vida, porque al cumplirlo estaré preparado para continuar con mi siguiente meta y por primer vez *puedo comprobar que tengo control de mi destino.* Por fin empezaré a ser inmensamente feliz realizando mis sueños porque he dejado mentiras y excusas en el pasado.

Ya no me confiaré con sólo limosnas de la vida para sobrevivir, para triunfar nací y fui diseñado, y hoy sé que las grandes puertas de la felicidad, la riqueza y la tranquilidad se abrirán para mí para mis seres queridos.

Si no cumplo este contrato merezco que la vida me trate como hasta hoy lo ha hecho.

_____

FIRMA

_____

TESTIGO

_____

FECHA

94

Maria